中卷

品藻第九

①汝南陳仲舉、潁川李元禮二人，共論其功德，不能定先後。蔡伯喈評之曰：『陳仲舉强于犯上，李元禮嚴于攝下。犯上難，攝下易。』仲舉遂在『三君』之下，元禮居『八俊』之上。

②龐士元至吴，吴人并友之。見陸績、顧劭、全琮，而爲之目曰：『陸子所謂駑馬有逸足之用，顧子所謂駑牛可以負重致遠。』或問：『如所目，陸爲勝邪？』曰：『駑馬雖精速，能致一人耳。駑牛一日行百里，所致豈一人哉？』吴人無以難。『全子好聲名，似汝南樊子昭。』

③顧劭嘗與龐士元宿語，問曰：『聞子名知人，吾與足下孰愈？』曰：『陶冶世俗，與時浮沈，吾不如子；論王霸之餘策，覽倚仗之要害，吾似有一日之長。』劭亦安其言。

④諸葛瑾弟亮及從弟誕，并有盛名，各在一國。于時以爲『蜀得其龍，吴得其虎，魏得其狗』。誕在魏與夏侯玄齊名；瑾在吴，吴朝服其弘量。

⑤司馬文王問武陔：『陳玄伯何如其父司空？』陔曰：『通雅博暢，能以天下聲教爲己任者，不如也；明練簡至，立功立事，過之。』

⑥正始中，人士比論，以五荀方五陳：荀淑方陳寔，荀靖方陳諶，荀爽方陳紀，荀彧方陳羣，荀顗方陳泰。又以八裴方八王：裴徽方王祥，裴楷方王夷甫，裴康方王綏，裴綽方王澄，裴瓚方王敦，裴遐方王導，裴頠方王戎，裴邈方王玄。

⑦冀州刺史楊淮二子喬與髦，俱總角爲成器。淮與裴頠、樂廣友善，遣見之。頠性弘方，愛喬之有高韵，謂淮曰：『喬當及卿，髦小減也。』廣性清淳，愛髦之有神檢，謂淮曰：『喬自及卿，然髦尤精出。』淮笑曰：『我二兒之優

劣，乃裴、樂之優劣。』論者評之，以爲喬雖高韵，而檢不匝；樂言爲得。然并爲後出之儁。

⑧劉令言始入洛，見諸名士而嘆曰：『王夷甫太解明，樂彦輔我所敬，張茂先我所不解，周弘武巧于用短，杜方叔拙于用長。』

⑨王夷甫云：『閭丘沖優于滿奮、郝隆。此三人并是高才，沖最先達。』

⑩王夷甫以王東海比樂令，故王中郎作碑云：『當時標榜，爲樂廣之儷。』

⑪庾中郎與王平子雁行。

⑫王大將軍在西朝時，見周侯，輒扇障面不得住。後度江左，不能復爾，王嘆曰：『不知我進，伯仁退？』

⑬會稽虞駿，元皇時與桓宣武同俠，其人有才理勝望。王丞相嘗謂駿曰：『孔愉有公才而無公望，丁潭有公望而無公才，兼之者其在卿乎？』駿未達而喪。

⑭明帝問周伯仁：『卿自謂何如郗鑒？』周曰：『鑒方臣，如有功夫。』復問郗，郗曰：『周顗比臣有國士門風。』

⑮王大將軍下，庾公問：『卿有四友，何者是？』答曰：『君家中郎，我家太尉、阿平、胡毋彦國。阿平故當最劣。』庾曰：『似未肯劣。』庾又問：『何者居其右？』王曰：『自有人。』又問：『何者是？』王曰：『噫！其自有公論。』左右躡公，公乃止。

⑯人問丞相：『周侯何如和嶠？』答曰：『長輿嵯櫱。』

⑰明帝問謝鯤：『君自謂何如庾亮？』答曰：『端委廟堂，使百僚準則，臣不如亮；一丘一壑，自謂過之。』

⑱王丞相二弟不過江，曰潁，曰敞。時論以潁比鄧伯道，敞比温忠武。議郎、祭酒者也。

⑲明帝問周侯：『論者以卿比郗鑒，云何？』周曰：『陛下不須牽顗比。』

⑳王丞相云：『頃下論以我比安期、千里。亦推此二人；唯共推太尉，此君特秀。』

㉑宋禕曾爲王大將軍妾，後屬謝鎮西。鎮西問禕：『我何如王？』答曰：『王比使君，田舍、貴人耳。』鎮西妖冶故也。

㉒明帝問周伯仁：『卿自謂何如庾元規？』對曰：『蕭條方外，亮不如臣；從容廊廟，臣不如亮。』

㉓王丞相辟王藍田爲掾，庾公問丞相：『藍田何似？』王曰：『真獨簡貴，不減父祖；然曠澹處，故當不如爾。』

㉔卞望之云：『郗公體中有三反：方于事上，好下佞己，一反；治身清貞，大修計校，二反；自好讀書，憎人學問，三反。』

㉕世論温太真是過江第二流之高者。時名輩共説人物，第一將盡之間，温常失色。

㉖王丞相云：『見謝仁祖恒令人得上。與何次道語，唯舉手指地曰：「正自爾馨。」』

㉗何次道爲宰相，人有譏其信任不得其人。阮思曠慨然曰：『次道自不至此。但布衣超居宰相之位，可恨！唯此一條而已。』

㉘王右軍少時，丞相云：『逸少何緣復減萬安邪？』

㉙郗司空家有傖奴，知及文章，事事有意。王右軍向劉尹稱之。劉問：『何如方回？』王曰：『此正小人有意向耳，何得便比方回？』劉曰：『若不如方回，故是常奴耳。』

㉚時人道阮思曠：『骨氣不及右軍，簡秀不如真長，韶潤不如仲祖，思致不如淵源，而兼有諸人之美。』

㉛簡文云：『何平叔巧累于理，嵇叔夜俊傷其道。』

㉜時人共論晉武帝出齊王之與立惠帝，其失孰多？多謂立惠帝爲重。桓

温曰：「不然，使子繼父業，弟承家祀，有何不可？」

㉝人問殷淵源：「當世王公以卿比裴叔道，云何？」殷曰：「故當以識通暗處。」

㉞撫軍問殷浩：「卿定何如裴逸民？」良久答曰：「故當勝耳。」

㉟桓公少與殷侯齊名，常有競心。桓問殷：「卿何如我？」殷云：「我與我周旋久，寧作我。」

㊱撫軍問孫興公：「劉真長何如？」曰：「清蔚簡令。」「王仲祖何如？」曰：「温潤恬和。」「桓温何如？」曰：「高爽邁出。」「謝仁祖何如？」曰：「清易令達。」「阮思曠何如？」曰：「弘潤通長。」「袁羊何如？」曰：「洮洮清便。」「殷洪遠何如？」曰：「遠有致思。」「卿自謂何如？」曰：「下官才能所經，悉不如諸賢；至于斟酌時宜，籠罩當世，亦多所不及。然以不才，時復托懷玄勝，遠詠《老》、《莊》，蕭條高寄，不與時務經懷，自謂此心無所與讓也。」

㊲桓大司馬下都，問真長曰：「聞會稽王語奇進，爾邪？」劉曰：「極進，然故是第二流中人耳！」桓曰：「第一流復是誰？」劉曰：「正是我輩耳！」

㊳殷侯既廢，桓公語諸人曰：「少時與淵源共騎竹馬，我弃去，己輒取之，故當出我下。」

㊴人問撫軍：「殷浩談竟何如？」答曰：「不能勝人，差可獻酬群心。」

㊵簡文云：「謝安南清令不如其弟，學義不及孔岩，居然自勝。」

㊶未廢海西時，王元琳問桓元子：「箕子、比干，迹异心同，不審明公孰是孰非？」曰：「仁稱不异，寧爲管仲。」

㊷劉丹陽、王長史在瓦官寺集，桓護軍亦在坐，共商略西朝及江左人物。或問：「杜弘治何如衛虎？」桓答曰：「弘治膚清，衛虎奕奕神令。」王、劉善其言。

㊸劉尹撫王長史背曰：「阿奴比丞相，但有都長。」

㊹劉尹、王長史同坐，長史酒酣起舞。劉尹曰：『阿奴今日不復減向子期。』

㊺桓公問孔西陽：『安石何如仲文？』孔思未對，反問公曰：『何如？』答曰：『安石居然不可陵踐其處，故乃勝也。』

㊻謝公與時賢共賞說，遏、胡兒并在坐。公問李弘度曰：『卿家平陽，何如樂令？』于是李潸然流涕曰：『趙王篡逆，樂令親授璽綬。亡伯雅正，恥處亂朝，遂至仰藥。恐難以相比！此自顯于事實，非私親之言。』謝公語胡兒曰：『有識者果不异人意。』

㊼王脩齡問王長史：『我家臨川，何如卿家宛陵？』長史未答，脩齡曰：『臨川譽貴。』長史曰：『宛陵未爲不貴。』

㊽劉尹至王長史許清言，時苟子年十三，倚床邊聽。既去，問父曰：『劉尹語何如尊？』長史曰：『韶音令辭，不如我；往輒破的，勝我。』

㊾謝萬壽春敗後，簡文問郗超：『萬自可敗，那得乃爾失士卒情？』超曰：『伊以率任之性，欲區別智勇。』

㊿劉尹謂謝仁祖曰：『自吾有四友，門人加親。』謂許玄度曰：『自吾有由，惡言不及于耳。』二人皆受而不恨。

(51)世目殷中軍：『思緯淹通，比羊叔子。』

(52)有人問謝安石、王坦之優劣于桓公。桓公停欲言，中悔，曰：『卿喜傳人語，不能復語卿。』

(53)王中郎嘗問劉長沙曰：『我何如荀子？』劉答曰：『卿才乃當不勝荀子，然會名處多。』王笑曰：『痴！』

(54)支道林問孫興公：『君何如許掾？』孫曰：『高情遠致，弟子蚤已服膺；一吟一咏，許將北面。』

(55)王右軍問許玄度：『卿自言何如安石？』許未答，王因曰：『安石故相爲雄，阿萬當裂眼爭邪？』

(56) 劉尹云：『人言江虨田舍，江乃自田宅屯。』

(57) 謝公云：『金谷中蘇紹最勝。』紹是石崇姊夫，蘇則孫，愉子也。

(58) 劉尹目庾中郎：『雖言不愔愔似道，突兀差可以擬道。』

(59) 孫承公云：『謝公清于無弈，潤于林道。』

(60) 或問林公：『司州何如二謝？』林公曰：『故當攀安提萬。』

(61) 孫興公、許玄度皆一時名流。或重許高情，則鄙孫穢行，或愛孫才藻，而無取于許。

(62) 郗嘉賓道謝公：『造膝雖不深徹，而纏綿綸至。』又曰：『右軍詣嘉賓。』嘉賓聞之云：『不得稱詣，政得謂之朋耳。』謝公以嘉賓言爲得。

(63) 庾道季云：『思理倫和，吾愧康伯；志力强正，吾愧文度。自此以還，吾皆百之。』

(64) 王僧恩輕林公，藍田曰：『勿學汝兄，汝兄自不如伊。』

(65) 簡文問孫興公：『袁羊何似？』答曰：『不知者不負其才，知之者無取其體。』

(66) 蔡叔子云：『韓康伯雖無骨幹，然亦膚立。』

(67) 郗嘉賓問謝太傅曰：『林公談何如嵇公？』謝云：『嵇公勤著脚，裁可得去耳。』又問：『殷何如支？』謝曰：『正爾有超拔，支乃過殷。然亹亹論辯，恐口欲制支。』

(68) 庾道季云：『廉頗、藺相如雖千載上死人，懍懍恒如有生氣。曹蜍、李志雖見在，厭厭如九泉下人。人皆如此，便可結繩而治，但恐狐狸猯狢啖盡。』

(69) 衛君長是蕭祖周婦兄，謝公問孫僧奴：『君家道衛君長云何？』孫曰：『云是世業人。』謝曰：『殊不爾，衛自是理義人。』于時以比殷洪遠。

(70) 王子敬問謝公：『林公何如庾公？』謝殊不受，答曰：『先輩初無論，庾公自足没林公。」

71 謝遏諸人共道『竹林』優劣，謝公云：『先輩初不臧貶「七賢」。』

72 有人以王中郎比車騎，車騎聞之曰：『伊窟窟成就。』

73 謝太傅謂王孝伯：『劉尹亦奇自知，然不言勝長史。』

74 王黄門兄弟三人俱詣謝公，子猷、子重多説俗事，子敬寒温而已。既出，坐客問謝公：『向三賢孰愈？』謝公曰：『小者最勝。』客曰：『何以知之？』謝公曰：『吉人之辭寡，躁人之辭多。推此知之。』

75 謝公問王子敬：『君書何如君家尊？』答曰：『固當不同。』公曰：『外人論殊不爾。』王曰：『外人那得知？』

76 王孝伯問謝太傅：『林公何如長史？』太傅曰：『長史韶興。』問：『何如劉尹？』謝曰：『噫！劉尹秀。』王曰：『若如公言，并不如此二人邪？』謝云：『身意正爾也。』

77 人有問太傅：『子敬可是先輩誰比？』謝曰：『阿敬近撮王、劉之標。』

78 謝公語孝伯：『君祖比劉尹，故爲得逮。』孝伯云：『劉尹非不能逮，直不逮。』

79 袁彦伯爲吏部郎，子敬與郗嘉賓書曰：『彦伯已入，殊足頓興往之氣。故知捶撻自難爲人，冀小却，當復差耳。』

80 王子猷、子敬兄弟共賞高士傳人及贊，子敬賞井丹高潔。子猷云：『未若長卿慢世。』

81 有人問袁侍中曰：『殷中堪何如韓康伯？』答曰：『理義所得，優劣乃復未辨；然門庭蕭寂，居然有名士風流，殷不及韓。』故殷作誄云：『荆門晝掩，閑庭晏然。』

82 王子敬問謝公：『嘉賓何如道季？』答曰：『道季誠復鈔撮清悟，嘉賓故自上。』

(83)王珣疾，臨困，問王武岡曰：『世論以我家領軍比誰？』武岡曰：『世以比王北中郎。』東亭轉臥向壁，嘆曰：『人固不可以無年！』

(84)王孝伯道謝公：『濃至。』又曰：『長史虛，劉尹秀，謝公融。』

(85)王孝伯問謝公：『林公何如右軍？』謝曰：『右軍勝林公，林公在司州前亦貴徹。』

(86)桓玄爲太傅，大會，朝臣畢集，坐裁竟，問王楨之曰：『我何如卿第七叔？』于時賓客爲之咽氣。王徐徐答曰：『亡叔是一時之標，公是千載之英。』一坐歡然。

(87)桓玄問劉太常曰：『我何如謝太傅？』劉答曰：『公高，太傅深。』又曰：『何如賢舅子敬？』答曰：『樝、梨、橘、柚，各有其美。』

(88)舊以桓謙比殷仲文。桓玄時，仲文入，桓于庭中望見之，謂同坐曰：『我家中軍，那得及此也！』

規箴第十

①漢武帝乳母嘗于外犯事，帝欲申憲，乳母求救東方朔。朔曰：『此非脣舌所爭，爾必望濟者，將去時但當屢顧帝，慎勿言！此或可萬一冀耳。』乳母既至，朔亦侍側，因謂曰：『汝痴耳！帝豈復憶汝乳哺時恩邪？』帝雖才雄心忍，亦深有情戀，乃凄然愍之，即敕免罪。

②京房與漢元帝共論，因問帝：『幽、厲之君何以亡？所任何人？』答曰：『其任人不忠。』房曰：『知不忠而任之，何邪？』曰：『亡國之君，各賢其臣，豈知不忠而任之？』房稽首曰：『將恐今之視古，亦猶後之視今也。』

③陳元方遭父喪，哭泣哀慟，軀體骨立。其母愍之，竊以錦被蒙上。郭林宗吊而見之，謂曰：『卿海內之俊才，四方是則，如何當喪，錦被蒙上？孔子曰：「衣夫錦也，食夫稻也，于汝安乎？」吾不取也！』奮衣而去。自後賓客絕百所日。

④孫休好射雉，至其時則晨去夕反。群臣莫不止諫：『此爲小物，何足甚耽？』休曰：『雖爲小物，耿介過人，朕所以好之。』

⑤孫皓問丞相陸凱曰：『卿一宗在朝有幾人？』陸曰：『二相、五侯、將軍十餘人。』皓曰：『盛哉！』陸曰：『君賢臣忠，國之盛也；父慈子孝，家之盛也。今政荒民弊，覆亡是懼，臣何敢言盛！』

⑥何晏、鄧颺令管輅作卦，云：『不知位至三公不？』卦成，輅稱引古義，深以戒之。颺曰：『此老生之常談。』晏曰：『知幾其神乎！古人以爲難。交疏吐誠，今人以爲難。今君一面盡二難之道，可謂「明德惟馨」。詩不云乎：「中心藏之，何日忘之！」』

⑦晉武帝既不悟太子之愚，必有傳後意；諸名臣亦多獻直言。帝嘗在陵雲臺上坐，衛瓘在側，欲申其懷，因如醉跪帝前，以手撫床曰：『此坐可惜。』帝雖悟，因笑曰：『公醉邪？』

⑧王夷甫婦，郭泰寧女，才拙而性剛，聚斂無厭，干豫人事。夷甫患之而不能禁。時其鄉人幽州刺史李陽，京都大俠，猶漢之樓護，郭氏憚之。夷甫驟諫之，乃曰：『非但我言卿不可，李陽亦謂卿不可。』郭氏小爲之損。

⑨王夷甫雅尚玄遠，常疾其婦貪濁，口未嘗言『錢』字。婦欲試之，令婢以錢遶床，不得行。夷甫晨起，見錢閡行，呼婢曰：『舉却阿堵物！』

⑩王平子年十四五，見王夷甫妻郭氏貪欲，令婢路上儋糞。平子諫之，并言不可。郭大怒，謂平子曰：『昔夫人臨終，以小郎囑新婦，不以新婦囑小郎！』急捉衣裾，將與杖。平子饒力，爭得脫，逾窗而走。

⑪元帝過江猶好酒，王茂弘與帝有舊，常流涕諫。帝許之，命酌酒，一酣，從是遂斷。

⑫謝鯤爲豫章太守，從大將軍下至石頭。敦謂鯤曰：『余不得復爲盛德之事矣！』鯤曰：『何爲其然？但使自今已後，日亡日去耳。』敦又稱疾不朝，

鯤論敦曰：『近者，明公之舉，雖欲大存社稷，然四海之內，實懷未達。若能朝天子，使群臣釋然，萬物之心，于是乃服。仗民望以從衆懷，盡沖退以奉主上，如斯，則勛侔一匡，名垂千載。』時人以爲名言。

⑬元皇帝時，廷尉張闓在小市居，私作都門，蚤閉晚開。群小患之，詣州府訴，不得理；遂至檛登聞鼓，猶不被判。聞賀司空出，至破岡，連名詣賀訴。賀曰：『身被徵作禮官，不關此事。』群小叩頭曰：『若府君復不見治，便無所訴。』賀未語，令且去，見張廷尉當爲及之。張聞，即毀門，自至方山迎賀。賀出見辭之曰：『此不必見關，但與君門情，相爲惜之。』張愧謝曰：『小人有如此，始不即知，早已毀壞。』

⑭郗太尉晚節好談，既雅非所經，而甚矜之。後朝覲，以王丞相末年多可恨，每見，必欲苦相規誡。王公知其意，每引作它言。臨還鎮，故命駕詣丞相。丞相翹須厲色，上坐便言：『方當乖別，必欲言所見。』意滿口重，辭殊不流。

王公攝其次曰：『後面未期，亦欲盡所懷，願公勿復談。』郗遂大瞋，冰衿而出，不得一言。

⑮王丞相爲揚州，遣八部從事之職。顧和時爲下傳還，同時俱見。諸從事各奏二千石官長得失，至和獨無言。王問顧曰：『卿何所聞？』答曰：『明公作輔，寧使網漏吞舟，何緣采聽風聞，以爲察察之政？』丞相咨嗟稱佳，諸從事自視缺然也。

⑯蘇峻東征沈充，請吏部郎陸邁與俱。將至吴，密敕左右，令入閶門放火以示威。陸知其意，謂峻曰：『吴治平未久，必將有亂。若爲亂階，可從我家始。』峻遂止。

⑰陸玩拜司空，有人詣之，索美酒，得，便自起，瀉箸梁柱間地，祝曰：『當今乏才，以爾爲柱石之用，莫傾人棟梁。』玩笑曰：『戢卿良箴。』

⑱小庾在荆州，公朝大會，問諸僚佐曰：『我欲爲漢高、魏武何如？』一坐

莫答。長史江彪曰：『願明公爲桓、文之事，不願作漢高、魏武也。』

⑲羅君章爲桓宣武從事，謝鎮西作江夏，往檢校之。羅既至，初不問郡事，徑就謝數日，飲酒而還。桓公問有何事，君章云：『不審公謂謝尚何似人？』桓公曰：『仁祖是勝我許人。』君章云：『豈有勝公人而行非者，故一無所問。』桓公奇其意而不責也。

⑳王右軍與王敬仁、許玄度并善。二人亡後，右軍爲論議更克。孔巖誡之曰：『明府昔與王、許周旋有情，及逝没之後，無慎終之好，民所不取。』右軍甚愧。

㉑謝中郎在壽春敗，臨奔走，猶求玉帖鐙。太傅在軍，前後初無損益之言。爾日猶云：『當今豈須煩此！』

㉒王大語東亭：『卿乃復論成不惡，那得與僧彌戲！』

㉓殷覬病困，看人政見半面。殷荆州興晉陽之甲，往與覬別，涕零，屬以消息所患。覬答曰：『我病自當差，正憂汝患耳！』

㉔遠公在廬山中，雖老，講論不輟。弟子中或有墮者，袁公曰：『桑榆之光，理無遠照；但願朝陽之暉，與時并明耳。』執經登坐，諷誦朗暢，詞色甚苦。高足之徒，皆肅然增敬。

㉕桓南郡好獵，每田狩，車騎甚盛，五六十里中，旌旗蔽隰。騁良馬，馳擊若飛，雙甄所指，不避陵壑。或行陳不整，麏兔騰逸，參佐無不被繫束。桓道恭，玄之族也，時爲賊曹參軍，頗敢直言。常自帶絳綿繩箸腰中，玄問：『此何爲？』答曰：『公獵，好縛人士，會當被縛，手不能堪芒也。』玄自此小差。

㉖王緒、王國寶相爲脣齒，并上下權要。王大不平其如此，乃謂緒曰：『汝爲此欻欻，曾不慮獄吏之爲貴乎？』

㉗桓玄欲以謝太傅宅爲營，謝混曰：『召伯之仁，猶惠及甘棠；文靖之德，更不保五畝之宅。』玄慚而止。

捷悟第十一

①楊德祖爲魏武主簿，時作相國門，始搆榱桷，魏武自出看，使人題門作『活』字，便去。楊見，即令壞之。既竟，曰：『「門」中「活」，「闊」字。王正嫌門大也。』

②人餉魏武一杯酪，魏武啖少許，蓋頭上題『合』字以示衆。衆莫能解。次至楊脩，脩便啖，曰：『公教人啖一口也，復何疑？』

③魏武嘗過曹娥碑下，楊脩從。碑背上見題作『黄絹幼婦，外孫韲臼』八字，魏武謂脩曰：『解不？』答曰：『解。』魏武曰：『卿未可言，待我思之。』行三十里，魏武乃曰：『吾已得。』令脩别記所知。脩曰：『黄絹，色絲也，于字爲「絶」；幼婦，少女也，于字爲「妙」；外孫，女子也，于字爲「好」；韲臼，受辛也，于字爲「辭」。所謂「絶妙好辭」也。』魏武亦記之，與脩同，乃嘆曰：『我才不及卿，乃覺三十里。』

④魏武征袁本初，治裝，餘有數十斛竹片，咸長數寸，衆云并不堪用，正令燒除。太祖思所以用之，謂可爲竹椑楯，而未顯其言。馳使問主簿楊德祖。應聲答之，與帝心同。衆伏其辯悟。

⑤王敦引軍至大桁，明帝自出中堂。温嶠爲丹陽尹，帝令斷大桁，故未斷，帝大怒，瞋目，左右莫不悚懼。召諸公來。嶠至，不謝，但求酒炙。王導須臾至，徒跣下地，謝曰：『天威在顔，遂使温嶠不容得謝。』嶠于是下謝，帝乃釋然。諸公共嘆王機悟名言。

⑥郗司空在北府，桓宣武惡其居兵權。郗于事機素暗，遣箋詣桓：『方欲共獎王室，修復園陵。』世子嘉賓出行，于道上聞信至，急取箋，視竟，寸寸毁裂，便回。還更作箋，自陳老病，不堪人間，欲乞閑地自養。宣武得箋大喜，即詔轉公督五郡，會稽太守。

⑦王東亭作宣武主簿，嘗春月與石頭兄弟乘馬出郊。時彦同游者，連鑣俱

進。唯東亭一人常在前，覺數十步，諸人莫之解。石頭等既疲倦，俄而乘輿回，諸人皆似從官，唯東亭弈弈在前。其悟捷如此。

夙惠第十二

①賓客詣陳太丘宿，太丘使元方、季方炊。客與太丘論議，二人進火，俱委而竊聽。炊忘箸箄，飯落釜中。太丘問：『炊何不餾？』元方、季方長跪曰：『大人與客語，乃俱竊聽，炊忘箸箄，飯今成糜。』太丘曰：『爾頗有所識不？』對曰：『仿佛志之。』二子俱說，更相易奪，言無遺失。太丘曰：『如此，但糜自可，何必飯也？』

②何晏七歲，明惠若神，魏武奇愛之。因晏在宮內，欲以爲子。晏乃畫地令方，自處其中。人問其故，答曰：『何氏之廬也。』魏武知之，即遣還。

③晉明帝數歲，坐元帝膝上。有人從長安來，元帝問洛下消息，潸然流涕。明帝問何以致泣，具以東渡意告之。因問明帝：『汝意謂長安何如日遠？』答曰：『日遠。不聞人從日邊來，居然可知。』元帝异之。明日，集群臣宴會，告以此意，更重問之。乃答曰：『日近。』元帝失色，曰：『爾何故异昨日之言邪？』答曰：『舉目見日，不見長安。』

④司空顧和與時賢共清言。張玄之、顧敷是中外孫，年并七歲，在床邊戲。于時聞語，神情如不相屬。瞑于燈下，二兒共叙客主之言，都無遺失。顧公越席而提其耳曰：『不意衰宗復生此寶。』

⑤韓康伯數歲，家酷貧，至大寒，止得襦，母殷夫人自成之，令康伯捉熨斗，謂康伯曰：『且箸襦，尋作複幝。』兒云：『已足，不須複幝也。』母問其故，答曰：『火在熨斗中而柄熱，今既箸襦，下亦當暖，故不須耳。』母甚异之，知爲國器。

⑥晉孝武年十二，時冬天，晝日不箸複衣，但箸單練衫五六重，夜則累茵褥。謝公諫曰：『聖體宜令有常。陛下晝過冷，夜過熱，恐非攝養之術。』帝

曰：『晝動夜静。』謝公出，嘆曰：『上理不減先帝。』

⑦桓宣武薨，桓南郡年五歲，服始除，桓車騎與送故文武別，因指與南郡：『此皆汝家故吏佐。』玄應聲慟哭，酸感傍人。車騎每自目己坐曰：『靈寶成人，當以此坐還之。』鞠愛過于所生。

豪爽第十三

①王大將軍年少時，舊有田舍名，語音亦楚。武帝唤時賢共言伎藝事，人皆多有所知，唯王都無所關，意色殊惡，自言知打鼓吹。帝令取鼓與之。于坐振袖而起，揚槌奮擊，音節諧捷，神氣豪上，傍若無人。舉坐嘆其雄爽。

②王處仲世許高尚之目。嘗荒恣于色，體爲之敝。左右諫之，處仲曰：『吾乃不覺爾。如此者甚易耳！』乃開後閤，驅諸婢妾數十人出路，任其所之，時人嘆焉。

③王大將軍自目：『高朗疏率，學通左氏。』

④王處仲每酒後輒咏『老驥伏櫪，志在千里。烈士暮年，壯心不已』。以如意打唾壺，唾壺盡缺。

⑤晋明帝欲起池臺，元帝不許。帝時爲太子，好養武士。一夕中作池，比曉便成。今太子西池便是也。

⑥王大將軍始欲下都處分樹置，先遣參軍告朝廷，諷旨時賢。祖車騎尚未鎮壽春，瞋目厲聲語使人曰：『卿語阿黑：何敢不遜！催攝面去，須臾不爾，我將三千兵，槊脚令上！』王聞之而止。

⑦庾穉恭既常有中原之志，文康時權重，未在己。及季堅作相，忌兵畏禍，與穉恭歷同异者久之，乃果行。傾荆、漢之力，窮舟車之勢，師次于襄陽。大會參佐，陳其旌甲，親授弧矢曰：『我之此行，若此射矣！』遂三起三疊，徒衆屬目，其氣十倍。

⑧桓宣武平蜀，集參僚置酒于李勢殿，巴蜀縉紳，莫不悉萃。桓既素有雄

情爽氣，加爾日音調英發，叙古今成敗由人，存亡繫才，其狀磊落，一坐嘆賞。既散，諸人追味餘言。于時尋陽周馥曰：『恨卿輩不見王大將軍。』

⑨桓公讀《高士傳》，至于陵仲子，便擲去曰：『誰能作此溪刻自處！』

⑩桓石虔，司空豁之長庶也。小字鎮惡。年十七八，未被舉，而童隸已呼爲鎮惡郎。嘗住宣武齋頭。從征枋頭，車騎沖没陳，左右莫能先救。宣武謂曰：『汝叔落賊，汝知不？』石虔聞之。氣甚奮，命朱辟爲副，策馬于萬衆中，莫有抗者，徑致沖還，三軍嘆服。河朔後以其名斷瘧。

⑪陳林道在西岸，都下諸人共要至牛渚會。陳理既佳，人欲共言折。陳以如意拄頰，望鷄籠山嘆曰：『孫伯符志業不遂！』于是竟坐不得談。

⑫王司州在謝公坐，咏『入不言兮出不辭，乘回風兮載雲旗』。語人云：『當爾時，覺一坐無人。』

⑬桓玄西下，入石頭。外白：『司馬梁王奔叛。』玄時事形已濟，在平乘上笳鼓并作，直高咏云：『簫管有遺音，梁王安在哉？』

下卷

容止第十四

①魏武將見匈奴使，自以形陋，不足雄遠國，使崔季珪代，帝自捉刀立床頭。既畢，令間諜問曰：『魏王何如？』匈奴使答曰：『魏王雅望非常；然床頭捉刀人，此乃英雄也。』魏武聞之，追殺此使。

②何平叔美姿儀，面至白。魏明帝疑其傅粉，正夏月，與熱湯餅。既啖，大汗出，以朱衣自拭，色轉皎然。

③魏明帝使后弟毛曾與夏侯玄共坐，時人謂『蒹葭倚玉樹。』

④時人目『夏侯太初朗朗如日月之入懷，李安國頹唐如玉山之將崩』。

⑤嵇康身長七尺八寸，風姿特秀。見者嘆曰：『蕭蕭肅肅，爽朗清舉。』或云：『肅肅如松下風，高而徐引。』山公曰：『嵇叔夜之爲人也，岩岩若孤松之獨立；其醉也，傀俄若玉山之將崩。』

⑥裴令公目王安豐『眼爛爛如岩下電』。

⑦潘岳妙有姿容，好神情。少時挾彈出洛陽道，婦人遇者，莫不連手共縈之。左太沖絕醜，亦復效岳游遨，于是群嫗齊共亂唾之，委頓而返。

⑧王夷甫容貌整麗，妙于談玄，恒捉白玉柄麈尾，與手都無分別。

⑨潘安仁、夏侯湛并有美容，喜同行，時人謂之『連璧』。

⑩裴令公有俊容姿，一旦有疾至困，惠帝使王夷甫往看。裴方向壁臥，聞王使至，强回視之。王出，語人曰：『雙目閃閃若岩下電，精神挺動，體中故小惡。』

⑪有人語王戎曰：『嵇延祖卓卓如野鶴之在鷄群。』答曰：『君未見其父耳！』

⑫裴令公有俊容儀，脱冠冕，粗服亂頭皆好，時人以爲『玉人』。見者曰：

『見裴叔則，如玉山上行，光映照人。』

⑬劉伶身長六尺，貌甚醜悴，而悠悠忽忽，土木形骸。

⑭驃騎王武子是衛玠之舅，俊爽有風姿。見玠輒嘆曰：『珠玉在側，覺我形穢！』

⑮有人詣王太尉，遇安豐、大將軍、丞相在坐。往別屋，見季胤、平子。還，語人曰：『今日之行，觸目見琳琅珠玉。』

⑯王丞相見衛洗馬，曰：『居然有羸形，雖復終日調暢，若不堪羅綺。』

⑰王大將軍稱太尉：『處衆人中，似珠玉在瓦石間。』

⑱庾子嵩長不滿七尺，腰帶十圍，頹然自放。

⑲衛玠從豫章至下都，人久聞其名，觀者如堵墻。玠先有羸疾，體不堪勞，遂成病而死。時人謂『看殺衛玠』。

⑳周伯仁道桓茂倫『嶔崎歷落，可笑人』。或云謝幼輿言。

㉑周侯說王長史父：『形貌既偉，雅懷有概，保而用之，可作諸許物也。』

㉒祖士少見衛君長云：『此人有旄仗下形。』

㉓石頭事故，朝廷傾覆，温忠武與庾文康投陶公求救。陶公云：『肅祖顧命不見及。且蘇峻作亂，釁由諸庾，誅其兄弟，不足以謝天下。』于時庾在温船後聞之，憂怖無計。別日，温勸庾見陶，庾猶豫未能往。温曰：『溪狗我所悉，卿但見之，必無憂也。』庾風姿神貌，陶一見便改觀。談宴竟日，愛重頓至。

㉔庾太尉在武昌，秋夜氣佳景清，使吏殷浩、王胡之之徒登南樓理咏，音調始遒，聞函道中有屐聲甚厲，定是庾公。俄而率左右十許人步來，諸賢欲起避之。公徐云：『諸君少住，老子于此處興復不淺。』因便據胡床，與諸人咏謔，竟坐甚得任樂。後王逸少下，與丞相言及此事，丞相曰：『元規爾時風範，不得不小頹。』右軍答曰：『唯丘壑獨存。』

㉕王敬豫有美形，問訊王公。王公撫其肩曰：『阿奴，恨才不稱！』又云：『敬豫事事似王公。』

㉖王右軍見杜弘治，嘆曰：『面如凝脂，眼如點漆，此神仙中人。』時人有稱王長史形者，蔡公曰：『恨諸人不見杜弘治耳！』

㉗劉尹道桓公：鬢如反猬皮，眉如紫石棱，自是孫仲謀、司馬宣王一流人。

㉘王敬倫風姿似父。作侍中，加授桓公公服，從大門入。桓公望之曰：『大奴固自有鳳毛。』

㉙林公道王長史：『斂衿作一來，何其軒軒韶舉！』

㉚時人目王右軍『飄如游雲，矯如驚龍』。

㉛王長史嘗病，親疏不通。林公來，守門人遽啓之曰：『一异人在門，不敢不啓。』王笑曰：『此必林公。』

㉜或以方謝仁祖不乃重者。桓大司馬曰：『諸君莫輕道，仁祖企脚北窗下彈琵琶，故自有天際真人想。』

㉝王長史爲中書郎，往敬和許。爾時積雪，長史從門外下車，步入尚書，著公服，敬和遥望，嘆曰：『此不復似世中人！』

㉞簡文作相王時，與謝公共詣桓宣武。王珣先在内，桓語王：『卿嘗欲見相王，可住帳裏。』二客既去，桓謂王曰：『定何如？』王曰：『相王作輔，自然湛若神君，公亦萬夫之望。不然，僕射何得自没？』

㉟海西時，諸公每朝，朝堂猶暗；唯會稽王來，軒軒如朝霞舉。

㊱謝車騎道謝公『游肆復無乃高唱，但恭坐捻鼻顧睞，便自有寝處山澤間儀。』

㊲謝公云：『見林公雙眼黯黯明黑。』孫興公『見林公棱棱露其爽。』

㊳庾長仁與諸弟入吳，欲住亭中宿。諸弟先上，見群小滿屋，都無相避意。

長仁曰：『我試觀之。』乃策杖將一小兒，始入門，諸客望其神姿，一時退匿。

㊴有人嘆王恭形茂者，云：『濯濯如春月柳。』

自新第十五

①周處年少時，凶强俠氣，爲鄉里所患。又義興水中有蛟，山中有邅迹虎，并皆暴犯百姓，義興人謂爲『三横』，而處尤劇。或説處殺虎斬蛟，實冀三横唯餘其一。處即刺殺虎，又入水擊蛟，蛟或浮或没，行數十里，處與之俱。經三日三夜，鄉里皆謂已死，更相慶。竟殺蛟而出。聞里人相慶，始知爲人情所患，有自改意。乃自吴尋二陸，平原不在，正見清河，具以情告，并云：『欲自修改，而年已蹉跎，終無所成。』清河曰：『古人貴朝聞夕死，况君前途尚可。且人患志之不立，亦何憂令名不彰邪？』處遂改勵，終爲忠臣孝子。

②戴淵少時，游俠不治行檢，嘗在江、淮間攻掠商旅。陸機赴假還洛，輜重甚盛。淵使少年掠劫，淵在岸上，據胡床，指麾左右，皆得其宜。淵既神姿峰穎，雖處鄙事，神氣猶异。機于船屋上遥謂之曰：『卿才如此，亦復作劫邪？』淵便泣涕，投劍歸機，辭厲非常。機彌重之，定交，作筆薦焉。過江，仕至征西將軍。

企羨第十六

①王丞相拜司空，桓廷尉作兩髻，葛裙、策杖，路邊窺之，嘆曰：『人言阿龍超，阿龍故自超！』不覺至臺門。

②王丞相過江，自説昔在洛水邊，數與裴成公、阮千里諸賢共談道。羊曼曰：『人久以此許卿，何須復爾？』王曰：『亦不言我須此，但欲爾時不可得耳！』

③王右軍得人以《蘭亭集序》方《金谷詩序》，又以己敵石崇，甚有欣色。

④王司州先爲庾公記室參軍，後取殷浩爲長史，始到，庾公欲遣王使下都，王自啓求住曰：『下官希見盛德，淵源始至，猶貪與少日周旋。』

⑤郗嘉賓得人以己比苻堅，大喜。

⑥孟昶未達時，家在京口。嘗見王恭乘高輿，被鶴氅裘。于時微雪，昶于籬間窺之，嘆曰：『此真神仙中人！』

傷逝第十七

①王仲宣好驢鳴。既葬，文帝臨其喪，顧語同游曰：『王好驢鳴，可各作一聲以送之。』赴客皆一作驢鳴。

②王濬沖爲尚書令，著公服，乘軺車，經黃公酒壚下過，顧謂後車客：『吾昔與嵇叔夜、阮嗣宗共酣飲于此壚，竹林之游，亦預其末。自嵇生夭、阮公亡以來，便爲時所羈紲。今日視此雖近，邈若山河。』

③孫子荊以有才，少所推服，唯雅敬王武子。武子喪時，名士無不至者。子荊後來，臨尸慟哭，賓客莫不垂涕。哭畢，向靈床曰：『卿常好我作驢鳴，今我爲卿作。』體似真聲，賓客皆笑。孫舉頭曰：『使君輩存，令此人死！』

④王戎喪兒萬子，山簡往省之，王悲不自勝。簡曰：『孩抱中物，何至于此？』王曰：『聖人忘情，最下不及情；情之所鍾，正在我輩。』簡服其言，更爲之慟。

⑤有人哭和長輿曰：『峨峨若千丈松崩。』

⑥衛洗馬以永嘉六年喪，謝鯤哭之，感動路人。咸和中，丞相王公教曰：『衛洗馬當改葬。此君風流名士，海內所瞻，可修薄祭，以敦舊好。』

⑦顧彥先平生好琴，及喪，家人常以琴置靈床上。張季鷹往哭之，不勝其慟，遂徑上床，鼓琴，作數曲竟，撫琴曰：『顧彥先頗復賞此不？』因又大慟，遂不執孝子手而出。

⑧庾亮兒遭蘇峻難遇害。諸葛道明女爲庾兒婦，既寡，將改適，與亮書及之。亮答曰：『賢女尚少，故其宜也。感念亡兒，若在初沒。』

⑨庾文康亡，何揚州臨葬云：『埋玉樹箸土中，使人情何能已已！』

⑩王長史病篤，寢卧鐙下，轉麈尾視之，嘆曰：『如此人，曾不得四十！』及亡，劉尹臨殯，以犀柄麈尾箸柩中，因慟絕。

⑪支道林喪法虔之後，精神實喪，風味轉墜。常謂人曰：『昔匠石廢斤于郢人，牙生輟弦于鍾子，推己外求，良不虛也！冥契既逝，發言莫賞，中心蘊結，余其亡矣！』却後一年，支遂殞。

⑫郗嘉賓喪，左右白郗公『郎喪』，既聞，不悲，因語左右：『殯時可道。』公往臨殯，一慟幾絕。

⑬戴公見林法師墓，曰：『德音未遠，而拱木已積。冀神理綿綿，不與氣運俱盡耳！』

⑭王子敬與羊綏善。綏清淳簡貴，爲中書郎，少亡。王深相痛悼，語東亭云：『是國家可惜人！』

⑮王東亭與謝公交惡。王在東聞謝喪，便出都詣子敬，道欲哭謝公。子敬始卧，聞其言，便驚起曰：『所望于法護。』王于是往哭。督帥刁約不聽前，曰：『官平生在時，不見此客。』王亦不與語，直前，哭甚慟，不執末婢手而退。

⑯王子猷、子敬俱病篤，而子敬先亡。子猷問左右：『何以都不聞消息？此已喪矣！』語時了不悲。便索輿來奔喪，都不哭。子敬素好琴，便徑入坐靈床上，取子敬琴彈，弦既不調，擲地云：『子敬！子敬！人琴俱亡。』因慟絕良久，月餘亦卒。

⑰孝武山陵夕，王孝伯入臨，告其諸弟曰：『雖榱桷惟新，便自有《黍離》之哀！』

⑱羊孚年三十一卒，桓玄與羊欣書曰：『賢從情所信寄，暴疾而殞，祝予之嘆，如何可言！』

⑲桓玄當篡位，語卞鞠云：『昔羊子道恒禁吾此意。今腹心喪羊孚，爪牙

失索元，而匆匆作此詆突，詎允天心？』

棲逸第十八

①阮步兵嘯，聞數百步。蘇門山中，忽有真人，樵伐者咸共傳說。阮籍往觀，見其人擁膝岩側。籍登嶺就之，箕踞相對。籍商略終古，上陳黃、農玄寂之道，下考三代盛德之美，以問之，仡然不應。復叙有爲之教、棲神導氣之術以觀之，彼猶如前，凝矚不轉。籍因對之長嘯。良久，乃笑曰：『可更作。』籍復嘯。意盡，退，還半嶺許，聞上唒然有聲，如數部鼓吹，林谷傳響，顧看，乃向人嘯也。

②嵇康游于汲郡山中，遇道士孫登，遂與之游。康臨去，登曰：『君才則高矣，保身之道不足。』

③山公將去選曹，欲舉嵇康；康與書告絶。

④李廞是茂曾第五子，清貞有遠操，而少羸病，不肯婚宦。居在臨海，住兄

侍中墓下。既有高名，王丞相欲招禮之，故辟爲府掾。廞得箋命，笑曰：『茂弘乃復以一爵假人！』

⑤何驃騎弟以高情避世，而驃騎勸之令仕，答曰：『予第五之名，何必減驃騎？』

⑥阮光禄在東山，蕭然無事，常内足于懷。有人以問王右軍，右軍曰：『此君近不驚寵辱，遂古之沈冥，何以過此？』

⑦孔車騎少有嘉遁意，年四十餘，始應安東命。未仕宦時，常獨寢，歌吹自箴誨。自稱孔郎，游散名山。百姓謂有道術，爲生立廟，今猶有孔郎廟。

⑧南陽劉驎之，高率善史傳，隱于陽岐。于時苻堅臨江，荆州刺史桓沖將盡訏謨之益，徵爲長史，遣人船往迎，贈貺甚厚。驎之聞命，便升舟，悉不受所餉，緣道以乞窮乏，比至上明亦盡。一見沖，因陳無用，翛然而退。居陽岐積年，衣食有無常與村人共。值己匱乏，村人亦如之。甚厚爲鄉閭所安。

⑨南陽翟道淵與汝南周子南少相友，共隱于尋陽。庾太尉説周以當世之務，周遂仕。翟秉志彌固。其後周詣翟，翟不與語。

⑩孟萬年及弟少孤，居武昌陽新縣。萬年游宦，有盛名當世，少孤未嘗出，京邑人士思欲見之，乃遣信報少孤，云『兄病篤』。狼狽至都，時賢見之者，莫不嗟重。因相謂曰：『少孤如此，萬年可死。』

⑪康僧淵在豫章，去郭數十里，立精舍，旁連嶺，帶長川，芳林列于軒庭，清流激于堂宇。乃閑居研講，希心理味。庾公諸人多往看之。觀其運用吐納，風流轉佳，加已處之怡然，亦有以自得，聲名乃興。後不堪，遂出。

⑫戴安道既厲操東山，而其兄欲建式遏之功。謝太傅曰：『卿兄弟志業，何其太殊？』戴曰：『下官「不堪其憂」，家弟「不改其樂」。』

⑬許玄度隱在永興南幽穴中，每致四方諸侯之遺。或謂許曰：『嘗聞箕山人似不爾耳！』許曰：『筐篚苞苴，故當輕于天下之寶耳！』

⑭范宣未嘗入公門。韓康伯與同載，遂誘俱入郡，范便于車後趨下。

⑮郗超每聞欲高尚隱退者，輒爲辦百萬資，并爲造立居宇。在剡爲戴公起宅，甚精整。戴始往舊居，與所親書曰：『近至剡，如官舍。』郗爲傅約亦辦百萬資，傅隱事差互，故不果遺。

⑯許掾好游山水，而體便登陟。時人云：『許非徒有勝情，實有濟勝之具。』

⑰郗尚書與謝居士善，常稱：『謝慶緒識見雖不絕人，可以累心處都盡。』

賢媛第十九

①陳嬰者，東陽人。少修德行，著稱鄉黨。秦末大亂，東陽人欲奉嬰爲主，母曰：『不可！自我爲汝家婦，少見貧賤，一旦富貴，不祥！不如以兵屬人，事成，少受其利；不成，禍有所歸。』

②漢元帝宮人既多，乃令畫工圖之，欲有呼者，輒披圖召之。其中常者，皆

行貨賂。王明君姿容甚麗，志不茍求，工遂毀爲其狀。後匈奴來和，求美女于漢帝，帝以明君充行。既召見而惜之，但名字已去，不欲中改，于是遂行。

③漢成帝幸趙飛燕，飛燕讒班婕妤祝詛，于是考問。辭曰：『妾聞死生有命，富貴在天。修善尚不蒙福，爲邪欲以何望？若鬼神有知，不受邪佞之訴；若其無知，訴之何益？故不爲也。』

④魏武帝崩，文帝悉取武帝宮人自侍。及帝病困，卞后出看疾。太后入户，見直侍并是昔日所愛幸者。太后問：『何時來邪？』云：『正伏魄時過。』因不復前而嘆曰：『狗鼠不食汝餘，死故應爾！』至山陵，亦竟不臨。

⑤趙母嫁女，女臨去，敕之曰：『慎勿爲好！』女曰：『不爲好，可爲惡邪？』母曰：『好尚不可爲，其況惡乎！』

⑥許允婦是阮衛尉女，德如妹，奇醜。交禮竟，允無復入理，家人深以爲憂。會允有客至，婦令婢視之，還，答曰：『是桓郎。』桓郎者，桓範也。婦云：『無憂，桓必勸入。』桓果語許云：『阮家既嫁醜女與卿，故當有意，卿宜察之。』許便回入內。既見婦，即欲出。婦料其此出無復入理，便捉裾停之。許因謂曰：『婦有四德，卿有其幾？』婦曰：『新婦所乏唯容爾。然士有百行，君有幾？』許云：『皆備。』婦曰：『夫百行以德爲首，君好色不好德，何謂皆備？』允有慚色，遂相敬重。

⑦許允爲吏部郎，多用其鄉里，魏明帝遣虎賁收之。其婦出誡允曰：『明主可以理奪，難以情求。』既至，帝核問之，允對曰：『「舉爾所知」，臣之鄉人，臣所知也。陛下檢校爲稱職與不？如不稱職，臣受其罪。』既檢校，皆官得其人，于是乃釋。允衣服敗壞，詔賜新衣。初，允被收，舉家號哭。阮新婦自若云：『勿憂，尋還。』作粟粥待。傾之，允至。

⑧許允爲晋景王所誅，門生走入告其婦。婦正在機中，神色不變，曰：『蚤知爾耳！』門人欲藏其兒，婦曰：『無豫諸兒事。』後徙居墓所，景王遣鍾會

看之，若才流及父，當收。兒以咨母，母曰：『汝等雖佳，才具不多，率胸懷與語，便無所憂。不須極哀，會止便止。又可少問朝事。』兒從之。會反以狀對，卒免。

⑨王公淵娶諸葛誕女。入室，言語始交，王謂婦曰：『新婦神色卑下，殊不似公休！』婦曰：『大丈夫不能仿佛彦雲，而令婦人比踪英杰！』

⑩王經少貧苦，仕至二千石，母語之曰：『汝本寒家子，仕至二千石，此可以止乎！』經不能用。爲尚書，助魏，不忠于晋，被收，涕泣辭母曰：『不從母敕，以至今日！』母都無戚容，語之曰：『爲子則孝，爲臣則忠。有孝有忠，何負吾邪？』

⑪山公與嵇、阮一面，契若金蘭。山妻韓氏，覺公與二人异于常交，問公，公曰：『我當年可以爲友者，唯此二生耳！』妻曰：『負羈之妻亦親觀狐、趙，意欲窺之，可乎？』他日，二人來，妻勸公止之宿，具酒肉。夜穿墉以視之，達旦忘反。公入曰：『二人何如？』妻曰：『君才致殊不如，正當以識度相友耳。』公曰：『伊輩亦常以我度爲勝。』

⑫王渾妻鍾氏生女令淑，武子爲妹求簡美對而未得，有兵家子，有俊才，欲以妹妻之，乃白母，曰：『誠是才者，其地可遺，然要令我見。』武子乃令兵兒與群小雜處，使母帷中察之。既而，母謂武子曰：『如此衣形者，是汝所擬者非邪？』武子曰：『是也。』母曰：『此才足以拔萃，然地寒，不有長年，不得申其才用。觀其形骨，必不壽，不可與婚。』武子從之。兵兒數年果亡。

⑬賈充前婦，是李豐女。豐被誅，離婚徙邊。後遇赦得還，充先已取郭配女，武帝特聽置左右夫人。李氏别住外，不肯還充舍。郭氏語充：『欲就省李。』充曰：『彼剛介有才氣，卿往不如不去。』郭氏于是盛威儀，多將侍婢。既至，入户，李氏起迎，郭不覺脚自屈，因跪再拜。既反，語充。充曰：『語卿道何物？』

⑭賈充妻李氏作《女訓》，行于世。李氏女，齊獻王妃；郭氏女，惠帝后。充卒，李、郭女各欲令其母合葬，經年不決。賈后廢，李氏乃祔葬，遂定。

⑮王汝南少無婚，自求郝普女。司空以其痴，會無婚處，任其意，便許之。既婚，果有令姿淑德。生東海，遂爲王氏母儀。或問汝南：『何以知之？』曰：『嘗見井上取水，舉動容止不失常，未嘗忤觀。以此知之。』

⑯王司徒婦，鍾氏女，太傅曾孫，亦有俊才女德。鍾、郝爲娣姒，雅相親重。鍾不以貴陵郝，郝亦不以賤下鍾。東海家內，則郝夫人之法。京陵家內，範鍾夫人之禮。

⑰李平陽，秦州子，中夏名士，于時以比王夷甫。孫秀初欲立威權，咸云：『樂令民望不可殺，減李重者又不足殺。』遂逼重自裁。初，重在家，有人走從門入，出髻中疏示重，重看之色動。入內示其女，女直叫『絕』。了其意，出則自裁。此女甚高明，重每咨焉。

⑱周浚作安東時，行獵，值暴雨，過汝南李氏。李氏富足，而男子不在。有女名絡秀，聞外有貴人，與一婢于內宰猪羊，作數十人飲食，事事精辦，不聞有人聲。密覘之，獨見一女子，狀貌非常，浚因求爲妾。父兄不許。絡秀曰：『門户殄瘁，何惜一女？若連姻貴族，將來或大益。』父兄從之。遂生伯仁兄弟。絡秀語伯仁等：『我所以屈節爲汝家作妾，門户計耳！汝若不與吾家作親親者，吾亦不惜餘年！』伯仁等悉從命。由此李氏在世，得方幅齒遇。

⑲陶公少有大志，家酷貧，與母湛氏同居。同郡范逵素知名，舉孝廉，投侃宿。于時冰雪積日，侃室如懸磬，而逵馬僕甚多。侃母湛氏語侃曰：『汝但出外留客，吾自爲計。』湛頭髮委地，下爲二髲，賣得數斛米，斫諸屋柱，悉割半爲薪，剉諸薦以爲馬草。日夕，遂設精食，從者皆無所乏。逵既嘆其才辯，又深愧其厚意。明旦去，侃追送不已，且百里許。逵曰：『路已遠，君宜還。』侃猶不返。逵曰：『卿可去矣！至洛陽，當相爲美談。』侃乃返。逵及洛，遂稱

之于羊晫、顧榮諸人，大獲美譽。

⑳陶公少時，作魚梁吏，嘗以坩鮓餉母。母封鮓付使，反書責侃曰：『汝爲吏，以官物見餉，非唯不益，乃增吾憂也。』

㉑桓宣武平蜀，以李勢妹爲妾，甚有寵，常著齋後。主始不知，既聞，與數十婢拔白刃襲之。正值李梳頭，髮委藉地，膚色玉曜，不爲動容。徐曰：『國破家亡，無心至此。今日若能見殺，乃是本懷。』主慚而退。

㉒庾玉臺，希之弟也。希誅，將戮玉臺。玉臺子婦，宣武弟桓豁女也。徒跣求進，閽禁不内。女厲聲曰：『是何小人？我伯父門，不聽我前！』因突入，號泣請曰：『庾玉臺常因人，脚短三寸，當復能作賊不？』宣武笑曰：『婿故自急。』遂原玉臺一門。

㉓謝公夫人幃諸婢，使在前作伎，使太傅暫見，便下幃。太傅索更開，夫人云：『恐傷盛德。』

㉔桓車騎不好箸新衣。浴後，婦故送新衣與。車騎大怒，摧使持去。婦更持還，傳語云：『衣不經新，何由而故？』桓公大笑，箸之。

㉕王右軍郗夫人謂二弟司空、中郎曰：『王家見二謝，傾筐倒庋；見汝輩來，平平爾。汝可無煩復往。』

㉖王凝之謝夫人既往王氏，大薄凝之。既還謝家，意大不説。太傅慰釋之曰：『王郎，逸少之子，人材亦不惡，汝何以恨乃爾？』答曰：『一門叔父，則有阿大、中郎。群從兄弟，則有封、胡、遏、末。不意天壤之中，乃有王郎！』

㉗韓康伯母，隱古几毀壞。卞鞠見几惡，欲易之。答曰：『我若不隱此，汝何以得見古物？』

㉘王江州夫人語謝遏曰：『汝何以都不復進？爲是塵務經心， 天分有限？』

㉙郗嘉賓喪，婦兄弟欲迎妹還，終不肯歸。曰：『生縱不得與郗郎同室，死

寧不同穴！』

㉚謝遏絶重其姊，張玄常稱其妹，欲以敵之。有濟尼者，并游張、謝二家。人問其優劣，答曰：『王夫人神情散朗，故有林下風氣。顧家婦清心玉映，自是閨房之秀。』

㉛王尚書惠嘗看王右軍夫人，問：『眼耳未覺惡不？』答曰：『髮白齒落，屬乎形骸；至于眼耳，關于神明，那可便與人隔！』

㉜韓康伯母殷，隨孫繪之之衡陽，于闔廬洲中逢桓南郡。卞鞠是其外孫，時來問訊。謂鞠曰：『我不死，見此豎二世作賊！』在衡陽數年，繪之遇桓景真之難也，殷撫尸哭曰：『汝父昔罷豫章，徵書朝至夕發。汝去郡邑數年，爲物不得動，遂及于難，夫復何言？』

術解第二十

①荀勖善解音聲，時論謂之『暗解』。遂調律吕，正雅樂。每至正會，殿庭作樂，自調宫商，無不諧韵。阮咸妙賞，時謂『神解』。每公會作樂，而心謂之不調。既無一言直勖，意忌之，遂出阮爲始平太守。後有一田父耕于野，得周時玉尺，便是天下正尺。荀試以校己所治鐘鼓、金石、絲竹，皆覺短一黍，于是伏阮神識。

②荀勖嘗在晋武帝坐上食笋進飯，謂在坐人曰：『此是勞薪炊也。』坐者未之信，密遣問之，實用故車脚。

③人有相羊祜父墓，後應出受命君。祜惡其言，遂掘斷墓後，以壞其勢。相者立視之曰：『猶應出折臂三公。』俄而祜墜馬折臂，位果至公。

④王武子善解馬性。嘗乘一馬，箸連錢障泥，前有水，終日不肯渡。王云：『此必是惜障泥。』使人解去，便徑渡。

⑤陳述爲大將軍掾，甚見愛重。及亡，郭璞往哭之，甚哀，乃呼曰：『嗣祖，焉知非福！』俄而大將軍作亂，如其所言。

⑥晉明帝解占冢宅，聞郭璞爲人葬，帝微服往看，因問主人：『何以葬龍角？此法當滅族！』主人曰：『郭云：「此葬龍耳，不出三年，當致天子。」』帝問：『爲是出天子邪？』答曰：『非出天子，能致天子問耳。』

⑦郭景純過江，居于暨陽，墓去水不盈百步，時人以爲近水。景純曰：『將當爲陸。』今沙漲，去墓數十里皆爲桑田。其詩曰：『北阜烈烈，巨海混混；壘壘三墳，唯母與昆。』

⑧王丞相令郭璞試作一卦。卦成，郭意色甚惡，云：『公有震厄！』王問：『有可消伏理不？』郭曰：『命駕西出數里，得一柏樹，截斷如公長，置床上常寢處，灾可消矣。』王從其語。數日中，果震柏粉碎。子弟皆稱慶。大將軍云：『君乃復委罪于樹木。』

⑨桓公有主簿善别酒，有酒輒令先嘗。好者謂『青州從事』，惡者謂『平原督郵』。青州有齊郡，平原有鬲縣。『從事』言到臍，『督郵』言在鬲上住。

⑩郗愔信道甚精勤，常患腹内惡，諸醫不可療，聞于法開有名，往迎之。既來，便脉云：『君侯所患，正是精進太過所致耳。』合一劑湯與之。一服，即大下，去數段許紙如拳大，剖看，乃先所服符也。

⑪殷中軍妙解經脉，中年都廢。有常所給使，忽叩頭流血。浩問其故，云：『有死事，終不可説。』詰問良久，乃云：『小人母年垂百歲，抱疾來久，若蒙官一脉，便有活理。訖就屠戮無恨。』浩感其至性，遂令舁來，爲診脉處方。始服一劑湯，便愈。于是悉焚經方。

巧蓺第二十一

①彈棋始自魏宫内，用妝奩戲。文帝于此戲特妙，用手巾角拂之，無不中。有客自云能，帝使爲之。客箸葛巾角，低頭拂棋，妙逾于帝。

②陵雲臺樓觀精巧，先稱平衆木輕重，然後造構，乃無錙銖相負揭。臺雖高峻，常隨風摇動，而終無傾倒之理。魏明帝登臺，懼其勢危，别以大材扶持

之，樓即頹壞。論者謂輕重力偏故也。

③韋仲將能書。魏明帝起殿，欲安榜，使仲將登梯題之。既下，頭鬢皓然，因敕兒孫：『勿復學書。』

④鍾會是荀濟北從舅，二人情好不協。荀有寶劍，可直百萬，常在母鍾夫人許。會善書，學荀手迹，作書與母取劍，仍竊去不還。荀勖知是鍾而無由得也，思所以報之。後鍾兄弟以千萬起一宅，始成，甚精麗，未得移住。荀極善畫，乃潛往畫鍾門堂，作太傅形象，衣冠狀貌如平生。二鍾入門，便大感慟，宅遂空廢。

⑤羊長和博學工書，能騎射，善圍棋。諸羊後多知書，而射、奕餘蓺莫逮。

⑥戴安道就范宣學，視范所爲：范讀書亦讀書，范鈔書亦鈔書。唯獨好畫，范以爲無用，不宜勞思于此。戴乃畫《南都賦》圖，范看畢咨嗟，甚以爲有益，始重畫。

⑦謝太傅云：『顧長康畫，有蒼生來所無。』

⑧戴安道中年畫行像甚精妙。庾道季看之，語戴云：『神明太俗，由卿世情未盡。』戴云：『唯務光當免卿此語耳。』

⑨顧長康畫裴叔則，頰上益三毛。人問其故，顧曰：『裴楷俊朗有識具，正此是其識具。』看畫者尋之，定覺益三毛如有神明，殊勝未安時。

⑩王中郎以圍棋是坐隱，支公以圍棋爲手談。

⑪顧長康好寫起人形，欲圖殷荊州，殷曰：『我形惡，不煩耳。』顧曰：『明府正爲眼爾。但明點童子，飛白拂其上，使如輕雲之蔽日。』

⑫顧長康畫謝幼輿在岩石裏。人問其所以，顧曰：『謝云：「一丘一壑，自謂過之。」此子宜置丘壑中。』

⑬顧長康畫人，或數年不點目精。人問其故，顧曰：『四體妍蚩，本無關于妙處；傳神寫照，正在阿堵中。』

⑭顧長康道畫：『手揮五弦易，目送歸鴻難。』

寵禮第二十二

①元帝正會，引王丞相登御床，王公固辭，中宗引之彌苦。王公曰：『使太陽與萬物同暉，臣下何以瞻仰？』

②桓宣武嘗與參佐入宿，袁宏、伏滔相次而至。莅名，府中復有袁參軍，彥伯疑焉，令傳教更質。傳教曰：『參軍是袁、伏之袁，復何所疑？』

③王珣、郗超并有奇才，爲大司馬所眷拔。珣爲主簿，超爲記室參軍。超爲人多須，珣狀短小。于時荆州爲之語曰：『髯參軍，短主簿，能令公喜，能令公怒。』

④許玄度停都一月，劉尹無日不往，乃嘆曰：『卿復少時不去，我成輕薄京尹！』

⑤孝武在西堂會，伏滔預坐。還，下車呼其兒，語之曰：『百人高會，臨坐未得他語，先問：「伏滔何在？在此不？」此故未易得。爲人作父如此，何如？』

⑥卞範之爲丹陽尹。羊孚南州暫還，往卞許，云：『下官疾動不堪坐。』卞便開帳拂褥，羊徑上大床，人被須枕。卞回坐傾睞，移晨達莫。羊去，卞語曰：『我以第一理期卿，卿莫負我。』

任誕第二十三

①陳留阮籍，譙國嵇康，河内山濤三人年皆相比，康年少亞之。預此契者：沛國劉伶，陳留阮咸，河内向秀，琅邪王戎。七人常集于竹林之下，肆意酣暢，故世謂『竹林七賢』。

②阮籍遭母喪，在晉文王坐進酒肉。司隸何曾亦在坐，曰：『明公方以孝治天下，而阮籍以重喪，顯于公坐飲酒食肉，宜流之海外，以正風教。』文王曰：『嗣宗毁頓如此，君不能共憂之，何謂？且有疾而飲酒食肉，固喪禮

也！』籍飲啖不輟，神色自若。

③劉伶病酒，渴甚，從婦求酒。婦捐酒毀器，涕泣諫曰：『君飲太過，非攝生之道，必宜斷之！』伶曰：『甚善。我不能自禁，唯當祝鬼神，自誓斷之耳！便可具酒肉。』婦曰：『敬聞命。』供酒肉于神前，請伶祝誓。伶跪而祝曰：『天生劉伶，以酒爲名，一飲一斛，五斗解酲。婦人之言，慎不可聽！』便引酒進肉，隗然已醉矣。

④劉公榮與人飲酒，雜穢非類，人或譏之。答曰：『勝公榮者，不可不與飲；不如公榮者，亦不可不與飲；是公榮輩者，又不可不與飲。』故終日共飲而醉。

⑤步兵校尉缺，厨中有貯酒數百斛，阮籍乃求爲步兵校尉。

⑥劉伶恒縱酒放達，或脱衣裸形在屋中。人見譏之，伶曰：『我以天地爲棟宇，屋室爲幝衣，諸君何爲入我幝中？』

⑦阮籍嫂嘗還家，籍見與别。或譏之，籍曰：『禮豈爲我輩設也？』

⑧阮公鄰家婦有美色，當壚酤酒。阮與王安豐常從婦飲酒。阮醉，便眠其婦側。夫始殊疑之，伺察，終無他意。

⑨阮籍當葬母，蒸一肥豚，飲酒二斗，然後臨訣，直言『窮矣』！都得一號，因吐血，廢頓良久。

⑩阮仲容、步兵居道南，諸阮居道北。北阮皆富，南阮貧。七月七日，北阮盛曬衣，皆紗羅錦綺。仲容以竿挂大布犢鼻幝于中庭。人或怪之，答曰：『未能免俗，聊復爾耳！』

⑪阮步兵喪母，裴令公往吊之。阮方醉，散髮坐床，箕踞不哭。裴至，下席于地，哭吊唁畢，便去。或問裴：『凡吊，主人哭，客乃爲禮。阮既不哭，君何爲哭？』裴曰：『阮方外之人，故不崇禮制。我輩俗中人，故以儀軌自居。』時人嘆爲兩得其中。

⑫諸阮皆能飲酒，仲容至宗人間共集，不復用常杯斟酌，以大甕盛酒，圍坐，相向大酌。時有群猪來飲，直接去上，便共飲之。

⑬阮渾長成，風氣韻度似父，亦欲作達。步兵曰：『仲容已預之，卿不得復爾。』

⑭裴成公婦，王戎女。王戎晨往裴許，不通徑前。裴從床南下，女從北下，相對作賓主，了無异色。

⑮阮仲容先幸姑家鮮卑婢。及居母喪，姑當遠移，初云當留婢，既發，定將去。仲容借客驢箸重服自追之，累騎而返。曰：『人種不可失！』即遥集之母也。

⑯任愷既失權勢，不復自檢括。或謂和嶠曰：『卿何以坐視元裒敗而不救？』和曰：『元裒如北夏門，拉攞自欲壞，非一木所能支。』

⑰劉道真少時，常漁草澤，善歌嘯，聞者莫不留連。有一老嫗，識其非常人，甚樂其歌嘯，乃殺豚進之。道真食豚盡，了不謝。嫗見不飽，又進一豚，食半餘半，乃還之。後爲吏部郎，嫗兒爲小令史，道真超用之。不知所由，問母，母告之。于是賫牛酒詣道真，道真曰：『去！去！無可復用相報。』

⑱阮宣子常步行，以百錢挂杖頭，至酒店，便獨酣暢。雖當世貴盛，不肯詣也。

⑲山季倫爲荆州，時出酣暢。人爲之歌曰：『山公時一醉，徑造高陽池。日莫倒載歸，茗艼無所知。復能乘駿馬，倒箸白接籬，舉手問葛彊，何如并州兒？』高陽池在襄陽。彊是其愛將，并州人也。

⑳張季鷹縱任不拘，時人號爲『江東步兵』。或謂之曰：『卿乃可縱適一時，獨不爲身後名邪？』答曰：『使我有身後名，不如即時一杯酒！』

㉑畢茂世云：『一手持蟹螯，一手持酒杯，拍浮酒池中，便足了一生。』

㉒賀司空入洛赴命，爲太孫舍人，經吴閶門，在船中彈琴。張季鷹本不相

識，先在金閶亭，聞弦甚清，下船就賀，因共語。便大相知說。問賀：『卿欲何之？』賀曰：『入洛赴命，正爾進路。』張曰：『吾亦有事北京。』因路寄載，便與賀同發。初不告家，家追問乃知。

㉓祖車騎過江時，公私儉薄，無好服玩。王、庾諸公共就祖，忽見裘袍重疊，珍飾盈列。諸公怪問之，祖曰：『昨夜復南塘一出。』祖于時恒自使健兒鼓行劫鈔，在事之人，亦容而不問。

㉔鴻臚卿孔群好飲酒，王丞相語云：『卿何爲恒飲酒？不見酒家覆瓿布，日月糜爛？』群曰：『不爾，不見糟肉，乃更堪久。』群嘗書與親舊：『今年田得七百斛秫米，不了麴糵事。』

㉕有人譏周僕射：『與親友言戲，穢雜無檢節。』周曰：『吾若萬里長江，何能不千里一曲！』

㉖温太真位未高時，屢與揚州、淮中估客樗蒱，與輒不競。嘗一過，大輸物，戲屈，無因得反。與庾亮善，于舫中大喚亮曰：『卿可贖我！』庾即送直，然後得還。經此數四。

㉗温公喜慢語，卞令禮法自居。至庾公許，大相剖擊，温發口鄙穢，庾公徐曰：『太真終日無鄙言。』

㉘周伯仁風德雅重，深達危亂。過江積年，恒大飲酒。嘗經三日不醒，時人謂之『三日僕射』。

㉙衛君長爲温公長史，温公甚善之。每率爾提酒脯就衛，箕踞相對彌日。衛往温許，亦爾。

㉚蘇峻亂，諸庾逃散。庾冰時爲吴郡，單身奔亡。民吏皆去，唯郡卒獨以小船載冰出錢塘口，籧篨覆之。時峻賞募覓冰，屬所在搜檢甚急。卒捨船市渚，因飲酒醉還，舞棹向船曰：『何處覓庾吴郡，此中便是！』冰大惶怖，然不敢動。監司見船小裝狹，謂卒狂醉，都不復疑。自送過淛江，寄山陰魏家，得免。

後事平，冰欲報卒，適其所願。卒曰：『出自廝下，不願名器。少苦執鞭，恒患不得快飲酒。使其酒足餘年畢矣，無所復須。』冰爲起大舍，市奴婢，使門內有百斛酒，終其身。時謂此卒非唯有智，且亦達生。

㉛殷洪喬作豫章郡，臨去，都下人因附百許函書。既至石頭，悉擲水中，因祝曰：『沈者自沈，浮者自浮，殷洪喬不能作致書郵。』

㉜王長史、謝仁祖同爲王公掾。長史云：『謝掾能作異舞。』謝便起舞，神意甚暇。王公熟視，謂客曰：『使人思安豐。』

㉝王、劉共在杭南，酣宴于桓子野家。謝鎮西往尚書墓還，葬後三日反哭。諸人欲要之，初遣一信，猶未許，然已停車。重要，便回駕。諸人門外迎之，把臂便下。裁得脱幘箸帽。酣宴半坐，乃覺未脱衰。

㉞桓宣武少家貧，戲大輸，債主敦求甚切，思自振之方，莫知所出。陳郡袁耽，俊邁多能。宣武欲求救于耽，耽時居艱，恐致疑，試以告焉。應聲便許，略無嫌吝。遂變服懷布帽隨温去，與債主戲。耽素有藝名，債主就局曰：『汝故當不辦作袁彥道邪？』遂共戲。十萬一擲，直上百萬數，投馬絕叫，傍若無人，探布帽擲對人曰：『汝竟識袁彥道不？』

㉟王光禄云：『酒，正使人人自遠。』

㊱劉尹云：『孫承公狂士，每至一處，賞玩累日，或回至半路却返。』

㊲袁彥道有二妹：一適殷淵源，一適謝仁祖。語桓宣武云：『恨不更有一人配卿！』

㊳桓車騎在荆州，張玄爲侍中，使至江陵，路經陽岐村。俄見一人，持半小籠生魚，徑來造船，云：『有魚，欲寄作膾。』張乃維舟而納之，問其姓字，稱是劉遺民。張素聞其名，大相忻待。劉既知張銜命，問：『謝安、王文度并佳不？』張甚欲話言，劉了無停意。既進膾，便去，云：『向得此魚，觀君船上當有膾具，是故來耳。』于是便去。張乃追至劉家，爲設酒，殊不清旨。張高其

人，不得已而飲之。方共對飲，劉便先起，云：『今正伐荻，不宜久廢。』張亦無以留之。

㊴王子猷詣郗雍州，雍州在內，見有毾㲪，云：『阿乞那得有此物？』令左右送還家。郗出見之，王曰：『向有大力者負之而趨。』郗無忤色。

㊵謝安始出西戲，失車牛，便杖策步歸。道逢劉尹，語曰：『安石將無傷？』謝乃同載而歸。

㊶襄陽羅友有大韵，少時多謂之痴。嘗伺人祠，欲乞食，往太蚤，門未開。主人迎神出見，問以非時，何得在此？答曰：『聞卿祠，欲乞一頓食耳。』遂隱門側。至曉，得食便退，了無怍容。爲人有記功，從桓宣武平蜀，按行蜀城闕觀宇，內外道陌廣狹，植種果竹多少，皆默記之。後宣武漂洲與簡文集，友亦預焉。共道蜀中事，亦有所遺忘，友皆名列，曾無錯漏。宣武驗以蜀城闕簿，皆如其言。坐者嘆服。謝公云：『羅友詎減魏陽元！』後爲廣州刺史，當之鎮，刺史桓豁語令莫來宿。答曰：『民已有前期。主人貧，或有酒饌之費，見與甚有舊，請別日奉命。』征西密遣人察之。至日，乃往荊州門下書佐家，處之怡然，不异勝達。在益州語兒云：『我有五百人食器。』家中大驚。其由來清，而忽有此物，定是二百五十沓烏樏。

㊷桓子野每聞清歌，輒喚：『奈何！』謝公聞之曰：『子野可謂一往有深情。』

㊸張湛好于齋前種松柏。時袁山松出游，每好令左右作挽歌。時人謂『張屋下陳尸，袁道上行殯』。

㊹羅友作荊州從事，桓宣武爲王車騎集別。友進，坐良久，辭出，宣武曰：『卿向欲咨事，何以便去？』答曰：『友聞白羊肉美，一生未曾得吃，故冒求前耳，無事可咨。今已飽，不復須駐。』了無慚色。

㊺張驎酒後挽歌甚凄苦，桓車騎曰：『卿非田橫門人，何乃頓爾至致？』

㊻王子猷嘗暫寄人空宅住，便令種竹。或問：『暫住何煩爾？』王嘯咏良久，直指竹曰：『何可一日無此君？』

㊼王子猷居山陰，夜大雪，眠覺，開室，命酌酒。四望皎然，因起彷徨，咏左思《招隱詩》。忽憶戴安道，時戴在剡，即便夜乘小船就之。經宿方至，造門不前而返。人問其故，王曰：『吾本乘興而行，興盡而返，何必見戴？』

㊽王衛軍云：『酒正自引人箸勝地。』

㊾王子猷出都，尚在渚下。舊聞桓子野善吹笛，而不相識。遇桓于岸上過，王在船中，客有識之者云：『是桓子野。』王便令人與相聞云：『聞君善吹笛，試爲我一奏。』桓時已貴顯，素聞王名，即便回下車，踞胡床，爲作三調。弄畢，便上車去。客主不交一言。

㊿桓南郡被召作太子洗馬，船泊荻渚。王大服散後已小醉，往看桓。桓爲設酒，不能冷飲，頻語左右：『令温酒來！』桓乃流涕嗚咽，王便欲去。桓以手巾掩泪，因謂王曰：『犯我家諱，何預卿事？』王嘆曰：『靈寶故自達。』

○51王孝伯問王大：『阮籍何如司馬相如？』王大曰：『阮籍胸中壘塊，故須酒澆之。』

○52王佛大嘆言：『三日不飲酒，覺形神不復相親。』

○53王孝伯言：『名士不必須奇才，但使常得無事，痛飲酒，熟讀《離騷》，便可稱名士。』

○54王長史登茅山，大慟哭曰：『琅邪王伯輿，終當爲情死！』

簡傲第二十四

①晋文王功德盛大，坐席嚴敬，擬于王者。唯阮籍在坐，箕踞嘯歌，酣放自若。

②王戎弱冠詣阮籍，時劉公榮在坐。阮謂王曰：『偶有二斗美酒，當與君共飲。彼公榮者，無預焉。』二人交觴酬酢，公榮遂不得一杯，而言語談戲，三

人無异。或有問之者，阮答曰：『勝公榮者，不可不與飲酒；不如公榮者，不可不與飲酒；唯公榮，可不與飲酒。』

③鍾士季精有才理，先不識嵇康。鍾要于時賢俊之士，俱往尋康。康方大樹下鍛，向子期爲佐鼓排。康揚槌不輟，傍若無人，移時不交一言。鍾起去，康曰：『何所聞而來？何所見而去？』鍾曰：『聞所聞而來，見所見而去。』

④嵇康與吕安善，每一相思，千里命駕。安後來，值康不在，喜出户延之，不入，題門上作『鳳』字而去。喜不覺，猶以爲欣，故作。『鳳』字，凡鳥也。

⑤陸士衡初入洛，咨張公所宜詣；劉道真是其一。陸既往，劉尚在哀制中。性嗜酒，禮畢，初無他言，唯問：『東吴有長柄壺盧，卿得種來不？』陸兄弟殊失望，乃悔往。

⑥王平子出爲荆州，王太尉及時賢送者傾路。時庭中有大樹，上有鵲巢。平子脱衣巾，徑上樹取鵲子。凉衣拘閡樹枝，便復脱去。得鵲子還，下弄，神

色自若，傍若無人。

⑦高坐道人于丞相坐，恒偃卧其側。見卞令，肅然改容云：『彼是禮法人。』

⑧桓宣武作徐州，時謝奕爲晋陵。先粗經虚懷，而乃無异常。及桓還荆州，將西之間，意氣甚篤，奕弗之疑。唯謝虎子婦王悟其旨。每曰：『桓荆州用意殊异，必與晋陵俱西矣！』俄而引奕爲司馬。奕既上，猶推布衣交。在温坐，岸幘嘯咏，無异常日。宣武每曰：『我方外司馬。』遂因酒，轉無朝夕禮。桓舍入内，奕輒復隨去。後至奕醉，温往主許避之。主曰：『君無狂司馬，我何由得相見？』

⑨謝萬在兄前，欲起索便器。于時阮思曠在坐曰：『新出門户，篤而無禮。』

⑩謝中郎是王藍田女婿。嘗箸白綸巾，肩輿徑至揚州聽事見王，直言曰：

『人言君侯痴，君侯信自痴。』藍田曰：『非無此論，但晚令耳。』

⑪王子猷作桓車騎騎兵參軍，桓問曰：『卿何署？』答曰：『不知何署，時見牽馬來，似是馬曹。』桓又問：『官有幾馬？』答曰：『「不問馬」，何由知其數？』又問：『馬比死多少？』答曰：『「未知生，焉知死？」』

⑫謝公嘗與謝萬共出西，過吳郡。阿萬欲相與共萃王恬許，太傅云：『恐伊不必酬汝，意不足爾！』萬猶苦要，太傅堅不回，萬乃獨往。坐少時，王便入門內，謝殊有欣色，以爲厚待己。良久，乃沐頭散髮而出，亦不坐，仍據胡床，在中庭曬頭，神氣傲邁，了無相酬對意。謝于是乃還。未至船，逆呼太傅。安曰：『阿螭不作爾！』

⑬王子猷作桓車騎參軍。桓謂王曰：『卿在府久，比當相料理。』初不答，直高視，以手版拄頰云：『西山朝來，致有爽氣。』

⑭謝萬北征，常以嘯咏自高，未嘗撫慰衆士。謝公甚器愛萬，而審其必敗，乃俱行。從容謂萬曰：『汝爲元帥，宜數喚諸將宴會，以説衆心。』萬從之。因召集諸將，都無所説，直以如意指四坐云：『諸君皆是勁卒。』諸將甚忿恨之。謝公欲深箸恩信，自隊主將帥以下，無不身造，厚相遜謝。及萬事敗，軍中因欲除之。復云：『當爲隱士。』故幸而得免。

⑮王子敬兄弟見郗公，躡履問訊，甚修外生禮。及嘉賓死，皆箸高屐，儀容輕慢。命坐，皆云：『有事，不暇坐。』既去，郗公慨然曰：『使嘉賓不死，鼠輩敢爾！』

⑯王子猷嘗行過吳中，見一士大夫家，極有好竹。主已知子猷當往，乃灑埽施設，在聽事坐相待。王肩輿徑造竹下，諷嘯良久。主已失望，猶冀還當通，遂直欲出門。主人大不堪，便令左右閉門不聽出。王更以此賞主人，乃留坐，盡歡而去。

⑰王子敬自會稽經吳，聞顧辟疆有名園。先不識主人，徑往其家。值顧方

集賓友酣燕，而王游歷既畢，指麾好惡，傍若無人。顧勃然不堪曰：『傲主人，非禮也，以貴驕人，非道也。失此二者，不足齒人，傖耳！』便驅其左右出門。王獨在輿上回轉，顧望左右移時不至，然後令送箸門外，怡然不屑。

排調第二十五

①諸葛瑾爲豫州，遣別駕到臺，語云：『小兒知談，卿可與語。』連往詣恪，恪不與相見。後于張輔吴坐中相遇，別駕喚恪：『咄咄郎君。』恪因嘲之曰：『豫州亂矣，何咄咄之有？』答曰：『君明臣賢，未聞其亂。』恪曰：『昔唐堯在上，四凶在下。』答曰：『非唯四凶，亦有丹朱。』于是一坐大笑。

②晋文帝與二陳共車，過喚鍾會同載，即駛車委去。比出，已遠。既至，因嘲之曰：『與人期行，何以遲遲？望卿遥遥不至。』會答曰：『矯然懿實，何必同群？』帝復問會：『皋繇何如人？』答曰：『上不及堯、舜，下不逮周、孔，亦一時之懿士。』

③鍾毓爲黄門郎，有機警，在景王坐燕飲。時陳羣子玄伯、武周子元夏同在坐，共嘲毓。景王曰：『皋繇何如人？』對曰：『古之懿士。』顧謂玄伯、元夏曰：『君子周而不比，群而不黨。』

④嵇、阮、山、劉在竹林酣飲，王戎後往。步兵曰：『俗物已復來敗人意！』王笑曰：『卿輩意，亦復可敗邪？』

⑤晋武帝問孫皓：『聞南人好作爾汝歌，頗能爲不？』皓正飲酒，因舉觴勸帝而言曰：『昔與汝爲鄰，今與汝爲臣。上汝一杯酒，令汝壽萬春！』帝悔之。

⑥孫子荆年少時欲隱，語王武子『當枕石漱流』，誤曰『漱石枕流』。王曰：『流可枕，石可漱乎？』孫曰：『所以枕流，欲洗其耳；所以漱石，欲礪其齒。』

⑦頭責秦子羽云：『子曾不如太原温顒、潁川荀寓、范陽張華、士卿劉許、

義陽鄒湛、河南鄭詡。此數子者，或謇吃無宮商，或尪陋希言語，或淹伊多姿態，或讙嘩少智諝，或口如含膠飴，或頭如巾齏杵。而猶以文采可觀，意思詳序，攀龍附鳳，并登天府。」

⑧王渾與婦鍾氏共坐，見武子從庭過，渾欣然謂婦曰：『生兒如此，足慰人意。』婦笑曰：『若使新婦得配參軍，生兒故可不啻如此！』

⑨荀鳴鶴、陸士龍二人未相識，俱會張茂先坐。張令共語。以其并有大才，可勿作常語。陸舉手曰：『雲間陸士龍。』荀答曰：『日下荀鳴鶴。』陸曰：『既開青雲睹白雉，何不張爾弓，布爾矢？』荀答曰：『本謂雲龍騤騤，定是山鹿野麋，獸弱弓强，是以發遲。』張乃撫掌大笑。

⑩陸太尉詣王丞相，王公食以酪。陸還遂病。明日與王箋云：『昨食酪小過，通夜委頓。民雖吴人，幾爲傖鬼。』

⑪元帝皇子生，普賜群臣。殷洪喬謝曰：『皇子誕育，普天同慶。臣無勛焉，而猥頒厚賚。』中宗笑曰：『此事豈可使卿有勛邪？』

⑫諸葛令、王丞相共爭姓族先後，王曰：『何不言葛、王，而云王、葛？』令曰：『譬言驢馬，不言馬驢，驢寧勝馬邪？』

⑬劉真長始見王丞相，時盛暑之月，丞相以腹熨彈棋局，曰：『何乃渹？』劉既出，人問王公云何，劉曰：『未見他异，唯聞作吴語耳。』

⑭王公與朝士共飲酒，舉琉璃碗謂伯仁曰：『此碗腹殊空，謂之寶器，何邪？』答曰：『此碗英英，誠爲清徹，所以爲寶耳！』

⑮謝幼輿謂周侯曰：『卿類社樹，遠望之，峨峨拂青天；就而視之，其根則群狐所托，下聚溷而已！』答曰：『枝條拂青天，不以爲高；群狐亂其下，不以爲濁。聚溷之穢，卿之所保，何足自稱？』

⑯王長豫幼便和令，丞相愛恣甚篤。每共圍棋，丞相欲舉行，長豫按指不聽。丞相笑曰：『詎得爾？相與似有瓜葛。』

⑰明帝問周伯仁：『真長何如人？』答曰：『故是千斤犗特。』王公笑其言。伯仁曰：『不如捲角牸，有盤辟之好。』

⑱王丞相枕周伯仁膝，指其腹曰：『卿此中何所有？』答曰：『此中空洞無物，然容卿輩數百人。』

⑲干寶向劉真長叙其《搜神記》，劉曰：『卿可謂鬼之董狐。』

⑳許文思往顧和許，顧先在帳中眠，許至，便徑就牀角枕共語。既而喚顧共行，顧乃命左右取枕上新衣，易己體上所著。許笑曰：『卿乃復有行來衣乎？』

㉑康僧淵目深而鼻高，王丞相每調之，僧淵曰：『鼻者，面之山；目者，面之淵。山不高則不靈，淵不深則不清。』

㉒何次道往瓦官寺禮拜甚勤，阮思曠語之曰：『卿志大宇宙，勇邁終古。』何曰：『卿今日何故忽見推？』阮曰：『我圖數千户郡，尚不能得；卿乃圖作佛，不亦大乎？』

㉓庾征西大舉征胡，既成行，止鎮襄陽。殷豫章與書，送一折角如意以調之。庾答書曰：『得所致，雖是敗物，猶欲理而用之。』

㉔桓大司馬乘雪欲獵，先過王、劉諸人許。真長見其裝束單急，問：『老賊欲持此何作？』桓曰：『我若不爲此，卿輩亦那得坐談？』

㉕褚季野問孫盛：『卿國史何當成？』孫云：『久應竟，在公無暇，故至今日。』褚曰：『古人「述而不作」，何必在蠶室中？』

㉖謝公在東山，朝命屢降而不動。後出爲桓宣武司馬，將發新亭，朝士咸出瞻送。高靈時爲中丞，亦往相祖。先時，多少飲酒，因倚如醉，戲曰：『卿屢違朝旨，高卧東山，諸人每相與言：「安石不肯出，將如蒼生何？」今亦蒼生將如卿何？』謝笑而不答。

㉗初，謝安在東山居，布衣，時兄弟已有富貴者，翕集家門，傾動人物。劉

夫人戲謂安曰：『大丈夫不當如此乎？』謝乃捉鼻曰：『但恐不免耳！』

㉘支道林因人就深公買印山，深公答曰：『未聞巢、由買山而隱。』

㉙王、劉每不重蔡公。二人嘗詣蔡，語良久，乃問蔡曰：『公自言何如夷甫？』答曰：『身不如夷甫。』王、劉相目而笑曰：『公何處不如？』答曰：『夷甫無君輩客！』

㉚張吴興年八歲，虧齒，先達知其不常，故戲之曰：『君口中何爲開狗竇？』張應聲答曰：『正使君輩從此中出入！』

㉛郝隆七月七日出日中仰卧。人問其故，答曰：『我曬書。』

㉜謝公始有東山之志，後嚴命屢臻，勢不獲已，始就桓公司馬。于時人有餉桓公藥草，中有『遠志』。公取以問謝：『此藥又名「小草」，何一物而有二稱？』謝未即答。時郝隆在坐，應聲答曰：『此甚易解：處則爲遠志，出則爲小草。』謝甚有愧色。桓公目謝而笑曰：『郝參軍此過乃不惡，亦極有會。』

㉝庾園客詣孫監，值行，見齊莊在外，尚幼，而有神意。庾試之曰：『孫安國何在？』即答曰：『庾穉恭家。』庾大笑曰：『諸孫大盛，有兒如此！』又答曰：『未若諸庾之翼翼。』還，語人曰：『我故勝，得重喚奴父名。』

㉞范玄平在簡文坐，談欲屈，引王長史曰：『卿助我。』王曰：『此非拔山力所能助！』

㉟郝隆爲桓公南蠻參軍。三月三日會，作詩。不能者，罰酒三升。隆初以不能受罰，既飲，攬筆便作一句云：『娵隅躍清池。』桓問：『娵隅是何物？』答曰：『蠻名魚爲娵隅。』桓公曰：『作詩何以作蠻語？』隆曰：『千里投公，始得蠻府參軍，那得不作蠻語也？』

㊱袁羊嘗詣劉恢，恢在内眠未起。袁因作詩調之曰：『角枕粲文茵，錦衾爛長筵。』劉尚晋明帝女，主見詩，不平曰：『袁羊，古之遺狂！』

㊲殷洪遠答孫興公詩云：『聊復放一曲。』劉真長笑其語拙，問曰：『君欲

云那放？』殷曰：『檜臘亦放，何必其鎗鈴邪？』

㊳桓公既廢海西，立簡文，侍中謝公見桓公拜，桓驚笑曰：『安石，卿何事至爾？』謝曰：『未有君拜于前，臣立于後！』

㊴郗重熙與謝公書，道：『王敬仁聞一年少懷問鼎。不知桓公德衰，爲復後生可畏？』

㊵張蒼梧是張憑之祖，嘗語憑父曰：『我不如汝。』憑父未解所以。蒼梧曰：『汝有佳兒。』憑時年數歲，斂手曰：『阿翁，詎宜以子戲父？』

㊶習鑿齒、孫興公未相識，同在桓公坐。桓語孫：『可與習參軍共語。』孫云：『「蠢爾蠻荆」，敢與大邦爲仇？』習云：『「薄伐獫狁」，至于太原。』

㊷桓豹奴是王丹陽外生，形似其舅，桓甚諱之。宣武云：『不恒相似，時似耳！恒似是形，時似是神。』桓逾不說。

㊸王子猷詣謝萬，林公先在坐，瞻矚甚高。王曰：『若林公鬚髮并全，神情當復勝此不？』謝曰：『脣齒相須，不可以偏亡。鬚髮何關于神明？』林公意甚惡。曰：『七尺之軀，今日委君二賢。』

㊹郗司空拜北府，王黄門詣郗門拜，云：『應變將略，非其所長。』驟咏之不已。郗倉謂嘉賓曰：『公今日拜，子猷言語殊不遜，深不可容！』嘉賓曰：『此是陳壽作諸葛評。人以汝家比武侯，復何所言？』

㊺王子猷詣謝公，謝曰：『云何七言詩？』子猷承問，答曰：『昂昂若千里之駒，泛泛若水中之鳧。』

㊻王文度、范榮期俱爲簡文所要。范年大而位小，王年小而位大。將前，更相推在前，既移久，王遂在范後。王因謂曰：『簸之揚之，糠秕在前。』范曰：『洮之汰之，沙礫在後。』

㊼劉遵祖少爲殷中軍所知，稱之于庾公。庾公甚忻然，便取爲佐。既見，坐之獨榻上與語。劉爾日殊不稱，庾小失望，遂名之爲『羊公鶴』。昔羊叔子有

鶴善舞，嘗向客稱之。客試使驅來，氃氋而不肯舞，故稱比之。

㊽魏長齊雅有體量，而才學非所經。初宦當出，虞存嘲之曰：『與卿約法三章：談者死，文筆者刑，商略抵罪。』魏怡然而笑，無忤于色。

㊾郗嘉賓書與袁虎，道戴安道、謝居士云：『恒任之風，當有所弘耳。』以袁無恒，故以此激之。

㊿范啓與郗嘉賓書曰：『子敬舉體無饒縱，掇皮無餘潤。』郗答曰：『舉體無餘潤，何如舉體非真者？』范性矜假多煩，故嘲之。

(51)二郗奉道，二何奉佛，皆以財賄。謝中郎云：『二郗諂于道，二何佞于佛。』

(52)王文度在西州，與林法師講，韓、孫諸人并在坐，林公理每欲小屈。孫興公曰：『法師今日如著弊絮在荆棘中，觸地挂閡。』

(53)范榮期見郗超俗情不淡，戲之曰：『夷、齊、巢、許，一詣垂名。何必勞神苦形，支策據梧邪？』郗未答，韓康伯曰：『何不使游刃皆虛？』

(54)簡文在殿上行，右軍與孫興公在後。右軍指簡文語孫曰：『此啖名客！』簡文顧曰：『天下自有利齒兒。』後王光祿作會稽，謝車騎出曲阿祖之。王孝伯罷秘書丞在坐，謝言及此事，因視孝伯曰：『王丞齒似不鈍。』王曰：『不鈍，頗亦驗。』

(55)謝遏夏月嘗仰臥，謝公清晨卒來，不暇著衣，跣出屋外，方躡履問訊。公曰：『汝可謂「前倨而後恭」。』

(56)顧長康作殷荆州佐，請假還東。爾時例不給布帆，顧苦求之，乃得發。至破冢，遭風大敗。作箋與殷云：『地名破冢，真破冢而出。行人安穩，布帆無恙。』

(57)苻朗初過江，王咨議大好事，問中國人物及風土所生，終無極已。朗大患之。次復問奴婢貴賤，朗云：『謹厚有識，中者，乃至十萬；無意爲奴婢，問者，止數千耳。」

58 東府客館是版屋。謝景重詣太傅，時賓客滿中，初不交言，直仰視云：「王乃復西戎其屋。」

59 顧長康噉甘蔗，先食尾。問所以，云：「漸至佳境。」

60 孝武屬王珣求女婿，曰：「王敦、桓溫，磊砢之流，既不可復得，且小如意，亦好豫人家事，酷非所須。正如真長、子敬比，最佳。」珣舉謝混。後袁山松欲擬謝婚，王曰：「卿莫近禁臠。」

61 桓南郡與殷荆州語次，因共作了語。顧愷之曰：「火燒平原無遺燎。」桓曰：「白布纏棺竪旒旐。」殷曰：「投魚深淵放飛鳥。」次復作危語。桓曰：「矛頭淅米劍頭炊。」殷曰：「百歲老翁攀枯枝。」顧曰：「井上轆轤卧嬰兒。」殷有一參軍在坐，云：「盲人騎瞎馬，夜半臨深池。」殷曰：「咄咄逼人！」仲堪眇目故也。

62 桓玄出射，有一劉參軍與周參軍朋賭，垂成，唯少一破。劉謂周曰：「卿此起不破，我當撻卿。」周曰：「何至受卿撻！」劉曰：「伯禽之貴，尚不免撻，而況于卿！」周殊無忤色。桓語庾伯鸞曰：「劉參軍宜停讀書，周參軍且勤學問。」

63 桓南郡與道曜講《老子》，王侍中爲主簿在坐。桓曰：「王主簿，可顧名思義。」王未答，且大笑。桓曰：「王思道能作大家兒笑。」

64 祖廣行恒縮頭。詣桓南郡，始下車，桓曰：「天甚晴朗，祖參軍如從屋漏中來。」

65 桓玄素輕桓崖，崖在京下有好桃，玄連就求之，遂不得佳者。玄與殷仲文書，以爲嗤笑曰：「德之休明，肅慎貢其楛矢；如其不爾，籬壁閑物，亦不可得也。」

輕詆第二十六

①王太尉問眉子：『汝叔名士，何以不相推重？』眉子曰：『何有名士終日妄語？』

②庾元規語周伯仁：『諸人皆以君方樂。』周曰：『何樂？謂樂毅邪？』庾曰：『不爾，樂令耳！』周曰：『何乃刻畫無鹽，以唐突西子也。』

③深公云：『人謂庾元規名士，胸中柴棘三斗許。』

④庾公權重，足傾王公。庾在石頭，王在冶城坐。大風揚塵，王以扇拂塵曰：『元規塵污人！』

⑤王右軍少時澀訥。在大將軍許，王、庾二公後來，右軍便起欲去。大將軍留之曰：『爾家司空、元規，復可所難？』

⑥王丞相輕蔡公，曰：『我與安期、千里共游洛水邊，何處聞有蔡充兒？』

⑦褚太傅初渡江，嘗入東，至金昌亭。吴中豪右，燕集亭中。褚公雖素有重名，于時造次不相識，別敕左右多與茗汁，少箸粽，汁盡輒益，使終不得食。褚公飲訖，徐舉手共語云：『褚季野！』于是四座驚散，無不狼狽。

⑧王右軍在南，丞相與書，每嘆子侄不令，云：『虎㹠、虎犢，還其所如。』

⑨褚太傅南下，孫長樂于船中視之。言次，及劉真長死，孫流涕，因諷咏曰：『人之云亡，邦國殄瘁。』褚大怒曰：『真長平生，何嘗相比數，而卿今日作此面向人！』孫回泣向褚曰：『卿當念我！』時咸笑其才而性鄙。

⑩謝鎮西書與殷揚州，爲真長求會稽，殷答曰：『真長標同伐异，俠之大者。常謂使君降階爲甚，乃復爲之驅馳邪？』

⑪桓公入洛，過淮泗，踐北境，與諸僚屬登平乘樓，眺矚中原，慨然曰：『遂使神州陸沈，百年丘墟，王夷甫諸人，不得不任其責！』袁虎率而對曰：『運自有廢興，豈必諸人之過？』桓公懍然作色，顧謂四坐曰：『諸君頗聞劉景升不？有大牛重千斤，啖芻豆十倍于常牛，負重致遠，曾不若一羸牸。魏

武人荆州，烹以饗士卒，于時莫不稱快。」意以況袁。四坐既駭，袁亦失色。

⑫袁虎、伏滔同在桓公府。桓公每游燕，輒命袁、伏，袁甚恥之，恒嘆曰：『公之厚意，未足以榮國士，與伏滔比肩，亦何辱如之？』

⑬高柔在東，甚爲謝仁祖所重。既出，不爲王、劉所知。仁祖曰：『近見高柔，大自敷奏，然未有所得。』真長云：『故不可在偏地居，輕在角觽中，爲人作議論。』高柔聞之，云：『我就伊無所求。』人有向真長學此言者，真長曰：『我實亦無可與伊者。』然游燕猶與諸人書：『可要安固？』安固者，高柔也。

⑭劉尹、江虨、王叔虎、孫興公同坐，江、王有相輕色。虨以手歙叔虎云：『酷吏！』詞色甚强。劉尹顧謂：『此是瞋邪？非特是醜言聲，拙視瞻。』

⑮孫綽作列仙商丘子贊曰：『所牧何物？殆非真猪。儻遇風雲，爲我龍攄。』時人多以爲能。王藍田語人云：『近見孫家兒作文，道何物、真猪也。』

⑯桓公欲遷都，以張拓定之業。孫長樂上表諫此，議甚有理。桓見表心服，而忿其爲异。令人致意孫云：『君何不尋遂初賦，而强知人家國事？』

⑰孫長樂兄弟就謝公宿，言至款雜。劉夫人在壁後聽之，具聞其語。謝公明日還，問：『昨客何似？』劉對曰：『亡兄門，未有如此賓客！』謝深有愧色。

⑱簡文與許玄度共語，許云：『舉君親以爲難。』簡文便不復答，許去後而言曰：『玄度故可不至于此！』

⑲謝萬壽春敗後，還，書與王右軍云：『慚負宿顧。』右軍推書曰：『此禹、湯之戒。』

⑳蔡伯喈睹睞笛椽，孫興公聽妓，振且擺折。王右軍聞，大嗔曰：『三祖壽樂器，虺瓦吊，孫家兒打折。』

㉑王中郎與林公絕不相得。王謂林公詭辯，林公道王云：『箸膩顔帢，綸布單衣，挾《左傳》，逐鄭康成車後，問是何物塵垢囊！』

㉒孫長樂作王長史誄云：『余與夫子，交非勢利，心猶澄水，同此玄味。』王孝伯見曰：『才士不遜，亡祖何至與此人周旋！』

㉓謝太傅謂子侄曰：『中郎始是獨有千載！』車騎曰：『中郎衿抱未虛，復那得獨有？』

㉔庾道季詫謝公曰：『裴郎云：「謝安謂裴郎乃可不惡，何得爲復飲酒？」裴郎又云：「謝安目支道林，如九方皋之相馬，略其玄黃，取其俊逸。」』謝公云：『都無此二語，裴自爲此辭耳！』庾意甚不以爲好，因陳《東亭經酒壚下賦》。讀畢，都不下賞裁，直云：『君乃復作裴氏學！』于此語林遂廢。今時有者，皆是先寫，無復謝語。

㉕王北中郎不爲林公所知，乃箸《論沙門不得爲高士論》。大略云：『高士必在于縱心調暢，沙門雖云俗外，反更束于教，非情性自得之謂也。』

㉖人問顧長康：『何以不作洛生咏？』答曰：『何至作老婢聲！』

㉗殷顗、庾恒并是謝鎮西外孫。殷少而率悟，庾每不推。嘗俱詣謝公，謝公熟視殷曰：『阿巢故似鎮西。』于是庾下聲語曰：『定何似？』謝公續復云：『巢頰似鎮西。』庾復云：『頰似，足作健不？』

㉘舊目韓康伯：將肘無風骨。

㉙符宏叛來歸國，謝太傅每加接引，宏自以有才，多好上人，坐上無折之者。適王子猷來，太傅使共語。子猷直孰視良久，回語太傅云：『亦復竟不異人！』宏大慚而退。

㉚支道林入東，見王子猷兄弟，還，人問：『見諸王何如？』答曰：『見一群白頸烏，但聞唤啞啞聲。』

㉛王中郎舉許玄度爲吏部郎。郗重熙曰：『相王好事，不可使阿訥在坐。』

㉜王興道謂：謝望蔡霍霍如失鷹師。

㉝桓南郡每見人不快，輒嗔云：『君得哀家梨，當復不烝食不？』

假譎第二十七

①魏武少時，嘗與袁紹好爲游俠。觀人新婚，因潛入主人園中，夜叫呼云：『有偷兒賊！』青廬中人皆出觀，魏武乃入，抽刃劫新婦與紹還出。失道，墜枳棘中，紹不能得動。復大叫云：『偷兒在此！』紹遑迫自擲出，遂以俱免。

②魏武行役，失汲道，軍皆渴，乃令曰：『前有大梅林，饒子，甘酸，可以解渴。』士卒聞之，口皆出水，乘此得及前源。

③魏武常言：『人欲危己，己輒心動。』因語所親小人曰：『汝懷刃密來我側，我必説「心動」，執汝使行刑，汝但勿言其使，無他，當厚相報！』執者信焉，不以爲懼，遂斬之。此人至死不知也。左右以爲實，謀逆者挫氣矣。

④魏武常云：『我眠中不可妄近，近便斫人，亦不自覺。左右宜深慎此！』後陽眠，所幸一人竊以被覆之，因便斫殺。自爾每眠，左右莫敢近者。

⑤袁紹年少時，曾遣人夜以劍擲魏武，少下，不箸。魏武揆之，其後來必高。因帖卧床上，劍至果高。

⑥王大將軍既爲逆，頓軍姑孰。晉明帝以英武之才，猶相猜憚，乃箸戎服，騎巴賨馬，賫一金馬鞭，陰察軍形勢。未至十餘里，有一客姥居店賣食，帝過愒之，謂姥曰：『王敦舉兵圖逆，猜害忠良，朝廷駭懼，社稷是憂。故劬勞晨夕，用相覘察。恐形迹危露，或致狼狽。追迫之日，姥其匿之。』便與客姥馬鞭而去，行敦營匝而出，軍士覺，曰：『此非常人也！』敦卧心動，曰：『此必黄須鮮卑奴來！』命騎追之，已覺多許里，追士因問向姥：『不見一黄須人騎馬度此邪？』姥曰：『去已久矣，不可復及。』于是騎人息意而反。

⑦王右軍年減十歲時，大將軍甚愛之，恒置帳中眠。大將軍嘗先出，右軍猶未起。須臾，錢鳳入，屏人論事，都忘右軍在帳中，便言逆節之謀。右軍覺，既聞所論，知無活理，乃剔吐污頭面被褥，詐孰眠。敦論事造半，方意右軍未

起，相與大驚曰：『不得不除之！』及開帳，乃見吐唾縱横，信其實孰眠，于是得全。于時稱其有智。

⑧陶公自上流來，赴蘇峻之難，令誅庾公。謂必戮庾，可以謝峻。庾欲奔竄，則不可；欲會，恐見執，進退無計。温公勸庾詣陶，曰：『卿但遥拜，必無它。我爲卿保之。』庾從温言詣陶。至，便拜。陶自起止之，曰：『庾元規何緣拜陶士行？』畢，又降就下坐。陶又自要起同坐。坐定，庾乃引咎責躬，深相遜謝。陶不覺釋然。

⑨温公喪婦。從姑劉氏，家值亂離散，唯有一女，甚有姿慧。姑以屬公覓婚。公密有自婚意，答云：『佳婿難得，但如嶠比云何？』姑云：『喪敗之餘，乞粗存活，便足慰吾餘年，何敢希汝比？』却後少日，公報姑云：『已覓得婚處，門地粗可，婿身名宦，盡不減嶠。』因下玉鏡臺一枚。姑大喜。既婚，交禮，女以手披紗扇，撫掌大笑曰：『我固疑是老奴，果如所卜！』玉鏡臺，是公爲劉越石長史，北征劉聰所得。

⑩諸葛令女，庾氏婦，既寡，誓云：『不復重出！』此女性甚正强，無有登車理。恢既許江思玄婚，乃移家近之。初，誑女云：『宜徙。』于是家人一時去，獨留女在後。比其覺，已不復得出。江郎莫來，女哭詈彌甚，積日漸歇。江虨暝入宿，恒在對床上。後觀其意轉帖，虨乃詐厭，良久不悟，聲氣轉急。女乃呼婢云：『唤江郎覺！』江于是躍來就之曰：『我自是天下男子，厭，何預卿事而見唤邪？』既爾相關，不得不與人語。』女默然而慚，情義遂篤。

⑪愍度道人始欲過江，與一傖道人爲侶，謀曰：『用舊義在江東，恐不辦得食。』便共立『心無義』。既而此道人不成渡。愍度果講義積年。後有傖人來，先道人寄語云：『爲我致意愍度，無義那可立？治此計，權救饑爾！無爲遂負如來也。』

⑫王文度弟阿智，惡乃不翅，當年長而無人與婚。孫興公有一女，亦僻錯，

又無嫁娶理。因詣文度，求見阿智。既見，便陽言：『此定可，殊不如人所傳，那得至今未有婚處？我有一女，乃不惡，但吾寒士，不宜與卿計，欲令阿智娶之。』文度欣然而啓藍田云：『興公向來，忽言欲與阿智婚。』藍田驚喜。既成婚，女之頑嚚，欲過阿智。方知興公之詐。

⑬范玄平爲人，好用智數，而有時以多數失會。嘗失官居東陽，桓大司馬在南州，故往投之。桓時方欲招起屈滯，以傾朝廷；且玄平在京，素亦有譽，桓謂遠來投己，喜躍非常。比入至庭，傾身引望，語笑歡甚。顧謂袁虎曰：『范公且可作太常卿。』范裁坐，桓便謝其遠來意。范雖實投桓，而恐以趨時損名，乃曰：『雖懷朝宗，會有亡兒瘞在此，故來省視。』桓悵然失望，向之虛佇，一時都盡。

⑭謝遏年少時，好箸紫羅香囊，垂覆手。太傅患之，而不欲傷其意，乃譎與賭，得即燒之。

黜免第二十八

①諸葛厷在西朝，少有清譽，爲王夷甫所重。時論亦以擬王。後爲繼母族黨所讒，誣之爲狂逆。將遠徙，友人王夷甫之徒，詣檻車與别。厷問：『朝廷何以徙我？』王曰：『言卿狂逆。』厷曰：『逆則應殺，狂何所徙？』

②桓公入蜀，至三峽中，部伍中有得猿子者。其母緣岸哀號，行百餘里不去，遂跳上船，至便即絶。破視其腹中，腸皆寸寸斷。公聞之，怒，命黜其人。

③殷中軍被廢，在信安，終日恒書空作字。揚州吏民尋義逐之，竊視，唯作『咄咄怪事』四字而已。

④桓公坐有參軍椅烝薤不時解，共食者又不助，而椅終不放，舉坐皆笑。桓公曰：『同盤尚不相助，况復危難乎？』敕令免官。

⑤殷中軍廢後，恨簡文曰：『上人箸百尺樓上，儋梯將去。』

⑥鄧竟陵免官後赴山陵，過見大司馬桓公。公問之曰：『卿何以更瘦？』

鄧曰：『有愧于叔達，不能不恨于破甑！』

⑦桓宣武既廢太宰父子，仍上表曰：『應割近情，以存遠計。若除太宰父子，可無後憂。』簡文手答表曰：『所不忍言，況過于言？』宣武又重表，辭轉苦切。簡文更答曰：『若晉室靈長，明公便宜奉行此詔。如大運去矣，請避賢路！』桓公讀詔，手戰流汗，于此乃止。太宰父子，遠徙新安。

⑧桓玄敗後，殷仲文還爲大司馬咨議，意似二三，非復往日。大司馬府聽前有一老槐，甚扶疏。殷因月朔，與衆在聽，視槐良久，嘆曰：『槐樹婆娑，無復生意！』

⑨殷仲文既素有名望，自謂必當阿衡朝政。忽作東陽太守，意甚不平，及之郡，至富陽，慨然嘆曰：『看此山川形勢，當復出一孫伯符！』

儉嗇第二十九

①和嶠性至儉，家有好李，王武子求之，與不過數十。王武子因其上直，率將少年能食之者，持斧詣園，飽共啖畢，伐之，送一車枝與和公。問曰：『何如君李？』和既得，唯笑而已。

②王戎儉吝，其從子婚，與一單衣，後更責之。

③司徒王戎，既貴且富，區宅僮牧，膏田水碓之屬，洛下無比。契疏鞅掌，每與夫人燭下散籌筭計。

④王戎有好李，賣之，恐人得其種，恒鑽其核。

⑤王戎女適裴頠，貸錢數萬。女歸，戎色不說，女遽還錢，乃釋然。

⑥衛江州在尋陽，有知舊人投之，都不料理，唯餉『王不留行』一斤。此人得餉，便命駕。李弘範聞之曰：『家舅刻薄，乃復驅使草木。』

⑦王丞相儉節，帳下甘果，盈溢不散。涉春爛敗，都督白之，公令舍去。曰：『慎不可令大郎知。』

⑧蘇峻之亂，庾太尉南奔見陶公。陶公雅相賞重。陶性儉吝。及食，啖薤，

庾因留白。陶問：『用此何爲？』庾云：『故可種。』于是大嘆庾非唯風流，兼有治實。

⑨郗公大聚斂，有錢數千萬。嘉賓意甚不同，常朝旦問訊。郗家法：子弟不坐。因倚語移時，遂及財貨事。郗公曰：『汝正當欲得吾錢耳！』乃開庫一日，令任意用。郗公始正謂損數百萬許。嘉賓遂一日乞與親友，周旋略盡。郗公聞之，驚怪不能已已。

汰侈第三十

①石崇每要客燕集，常令美人行酒。客飲酒不盡者，使黄門交斬美人。王丞相與大將軍嘗共詣崇。丞相素不善飲，輒自勉强，至于沈醉。每至大將軍，固不飲，以觀其變。已斬三人，顔色如故，尚不肯飲。丞相讓之，大將軍曰：『自殺伊家人，何預卿事！』

②石崇厠，常有十餘婢侍列，皆麗服藻飾。置甲煎粉、沈香汁之屬，無不畢備。又與新衣箸令出，客多羞不能如厠。王大將軍往，脱故衣，箸新衣，神色傲然。群婢相謂曰：『此客必能作賊。』

③武帝嘗降王武子家，武子供饌，并用琉璃器。婢子百餘人，皆綾羅絝襬，以手擎飲食。烝㹠肥美，异于常味。帝怪而問之，答曰：『以人乳飲㹠。』帝甚不平，食未畢，便去。王、石所未知作。

④王君夫以粭糒澳釜，石季倫用蠟燭作炊。君夫作紫絲布步障碧綾裏四十里，石崇作錦步障五十里以敵之。石以椒爲泥，王以赤石脂泥壁。

⑤石崇爲客作豆粥，咄嗟便辦。恒冬天得韭蓱齏。又牛形狀氣力不勝王愷牛，而與愷出游，極晚發，争入洛城，崇牛數十步後，迅若飛禽，愷牛絶走不能及。每以此三事搤腕。乃密貨崇帳下都督及御車人，問所以。都督曰：『豆至難煮，唯豫作熟末，客至，作白粥以投之。韭蓱齏是搗韭根，雜以麥苗爾。』復問馭人牛所以駛。馭人云：『牛本不遲，由將車人不及制之爾。急時聽偏

轅，則駛矣。』愷悉從之，遂爭長。石崇後聞，皆殺告者。

⑥王君夫有牛名『八百里駮』，常瑩其蹄角。王武子語君夫：『我射不如卿，今指賭卿牛，以千萬對之。』君夫既恃手快，且謂駿物無有殺理，便相然可，令武子先射。武子一起便破的，却據胡床，叱左右：『速探牛心來！』須臾，炙至，一臠便去。

⑦王君夫嘗責一人無服餘衵，因直內箸曲閤重閨裏，不聽人將出。遂饑經日，迷不知何處去。後因緣相爲，垂死乃得出。

⑧石崇與王愷爭豪，并窮綺麗，以飾輿服。武帝，愷之甥也，每助愷。嘗以一珊瑚樹高二尺許賜愷。枝柯扶疏，世罕其比。愷以示崇。崇視訖，以鐵如意擊之，應手而碎。愷既惋惜，又以爲疾己之寶，聲色甚厲。崇曰：『不足恨，今還卿。』乃命左右悉取珊瑚樹，有三尺四尺，條幹絕世，光彩溢目者六七枚，如愷許比甚衆。愷惘然自失。

⑨王武子被責，移第北邙下。于時人多地貴，濟好馬射，買地作埒，編錢币地竟埒。時人號曰『金溝』。

⑩石崇每與王敦入學戲，見顏、原象而嘆曰：『若與同升孔堂，去人何必有間！』王曰：『不知餘人云何？子貢去卿差近。』石正色云：『士當令身名俱泰，何至以瓮牖語人！』

⑪彭城王有快牛，至愛惜之。王太尉與射，賭得之。彭城王曰：『君欲自乘，則不論；若欲啖者，當以二十肥者代之。既不廢啖，又存所愛。』王遂殺啖。

⑫王右軍少時，在周侯末坐，割牛心啖之。于此改觀。

忿狷第三十一

①魏武有一妓，聲最清高，而情性酷惡。欲殺則愛才，欲置則不堪。于是選百人，一時俱教。少時，還有一人聲及之，便殺惡性者。

②王藍田性急。嘗食鷄子，以筯刺之，不得，便大怒，舉以擲地。鷄子于地圓轉未止，仍下地以屐齒蹍之，又不得，瞋甚，復于地取内口中，齧破即吐之。王右軍聞而大笑曰：『使安期有此性，猶當無一豪可論，况藍田邪？』

③王司州嘗乘雪往王螭許。司州言氣少有牾逆于螭，便作色不夷。司州覺惡，便輿床就之，持其臂曰：『汝詎復足與老兄計？』螭撥其手曰：『冷如鬼手馨，强來捉人臂！』

④桓宣武與袁彦道樗蒱。袁彦道齒不合，遂厲色擲去五木。温太真云：『見袁生遷怒，知顔子爲貴。』

⑤謝無奕性粗强。以事不相得，自往數王藍田，肆言極罵。王正色面壁不敢動。半日謝去，良久，轉頭問左右小吏曰：『去未？』答云：『已去。』然後復坐。時人嘆其性急而能有所容。

⑥王令詣謝公，值習鑿齒已在坐，當與并榻。王徙倚不坐，公引之與對榻。去後，語胡兒曰：『子敬實自清立，但人爲爾多矜咳，殊足損其自然。』

⑦王大、王恭嘗俱在何僕射坐。恭時爲丹陽尹，大始拜荆州。訖將乖之際，大勸恭酒。恭不爲飲，大逼强之，轉苦。便各以裙帶繞手。恭府近千人，悉呼入齋；大左右雖少，亦命前，意便欲相殺。何僕射無計，因起排坐二人之間，方得分散。所謂勢利之交，古人羞之。

⑧桓南郡小兒時，與諸從兄弟各養鵝共鬥。南郡鵝每不如，甚以爲忿。乃夜往鵝欄間，取諸兄弟鵝悉殺之。既曉，家人咸以驚駭，云是變怪，以白車騎。車騎曰：『無所致怪，當是南郡戲耳！』問，果如之。

讒險第三十二

①王平子形甚散朗，内實勁俠。

②袁悅有口才，能短長說，亦有精理。始作謝玄參軍，頗被禮遇。後丁艱，服除還都，唯賫《戰國策》而已。語人曰：『少年時讀《論語》、《老子》，又看

《莊》、《易》，此皆是病痛事，當何所益邪？天下要物，正有《戰國策》。』既下，說司馬孝文王，大見親待，幾亂機軸，俄而見誅。

③孝武甚親敬王國寶、王雅。雅薦王珣于帝，帝欲見之。嘗夜與國寶、雅相對，帝微有酒色，令喚珣。垂至，已聞卒傳聲，國寶自知才出珣下，恐傾奪要寵，因曰：『王珣當今名流，陛下不宜有酒色見之，自可別詔也。』帝然其言，心以爲忠，遂不見珣。

④王緒數讒殷荆州于王國寶，殷甚患之，求術于王東亭。曰：『卿但數詣王緒，往輒屏人，因論它事。如此，則二王之好離矣。』殷從之。國寶見王緒，問曰：『比與仲堪屏人何所道？』緒云：『故是常往來，無它所論。』國寶謂緒于己有隱，果情好日疏，讒言以息。

尤悔第三十三

①魏文帝忌弟任城王驍壯。因在卞太后閤共圍棋，并啖棗，文帝以毒置諸棗蔕中。自選可食者而進，王弗悟，遂雜進之。既中毒，太后索水救之。帝預敕左右毀瓶罐，太后徒跣趨井，無以汲。須臾，遂卒。復欲害東阿，太后曰：『汝已殺我任城，不得復殺我東阿。』

②王渾後妻，琅邪顏氏女。王時爲徐州刺史，交禮拜訖，王將答拜，觀者咸曰：『王侯州將，新婦州民，恐無由答拜。』王乃止。武子以其父不答拜，不成禮，恐非夫婦；不爲之拜，謂爲顏妾。顏氏耻之。以其門貴，終不敢離。

③陸平原河橋敗，爲盧志所讒，被誅。臨刑嘆曰：『欲聞華亭鶴唳，可復得乎！』

④劉琨善能招延，而拙于撫御。一日雖有數千人歸投，其逃散而去亦復如此。所以卒無所建。

⑤王平子始下，丞相語大將軍：『不可復使羌人東行。』平子面似羌。

⑥王大將軍起事，丞相兄弟詣闕謝。周侯深憂諸王，始入，甚有憂色。丞相

呼周侯曰：『百口委卿！』周直過不應。既入，苦相存救。既釋，周大說，飲酒。及出，諸王故在門。周曰：『今年殺諸賊奴，當取金印如斗大繫肘後。』大將軍至石頭，問丞相曰：『周侯可爲三公不？』丞相不答。又問：『可爲尚書令不？』又不應。因云：『如此，唯當殺之耳！』復默然。逮周侯被害，丞相後知周侯救己，嘆曰：『我不殺周侯，周侯由我而死。幽冥中負此人！』

⑦王導、温嶠俱見明帝，帝問温前世所以得天下之由。温未答。頃，王曰：『温嶠年少未諳，臣爲陛下陳之。』王乃具叙宣王創業之始，誅夷名族，寵樹同己。及文王之末，高貴鄉公事。明帝聞之，覆面箸床曰：『若如公言，祚安得長！』

⑧王大將軍于衆坐中曰：『諸周由來未有作三公者。』有人答曰：『唯周侯邑五馬領頭而不克。』大將軍曰：『我與周，洛下相遇，一面頓盡。值世紛紜，遂至于此！』因爲流涕。

⑨温公初受劉司空使勸進，母崔氏固駐之，嶠絶裾而去。迄于崇貴，鄉品猶不過也。每爵皆發詔。

⑩庾公欲起周子南，子南執辭愈固。庾每詣周，庾從南門入，周從後門出。庾嘗一往奄至，周不及去，相對終日。庾從周索食，周出蔬食，庾亦强飯，極歡；并語世故，約相推引，同佐世之任。既仕，至將軍二千石，而不稱意。中宵慨然曰：『大丈夫乃爲庾元規所賣！』一嘆，遂發背而卒。

⑪阮思曠奉大法，敬信甚至。大兒年未弱冠，忽被篤疾。兒既是偏所愛重，爲之祈請三寶，晝夜不懈。謂至誠有感者，必當蒙祐。而兒遂不濟。于是結恨釋氏，宿命都除。

⑫桓宣武對簡文帝，不甚得語。廢海西後，宜自申叙，乃豫撰數百語，陳廢立之意。既見簡文，簡文便泣下數十行。宣武矜愧，不得一言。

⑬桓公卧語曰：『作此寂寂，將爲文、景所笑！』既而屈起坐曰：『既不能

流芳後世，亦不足復遺臭萬載邪？」

⑭謝太傅于東船行，小人引船，或遲或速，或停或待，又放船從橫，撞人觸岸。公初不呵譴。人謂公常無嗔喜。曾送兄征西葬還，日莫雨駛，小人皆醉，不可處分。公乃于車中，手取車柱撞馭人，聲色甚厲。夫以水性沈柔，入隘奔激。方之人情，固知迫隘之地，無得保其夷粹。

⑮簡文見田稻不識，問是何草？左右答是稻。簡文還，三日不出，云：「寧有賴其末，而不識其本？」

⑯桓車騎在上明畋獵。東信至，傳淮上大捷。語左右云：「群謝年少，大破賊。」因發病薨。談者以爲此死，賢于讓揚之荆。

⑰桓公初報破殷荆州，曾講《論語》，至「富與貴，是人之所欲，不以其道得之，不處」，玄意色甚惡。

紕漏第三十四

①王敦初尚主，如厠，見漆箱盛乾棗，本以塞鼻，王謂厠上亦下果，食遂至盡。既還，婢擎金澡盤盛水，琉璃碗盛澡豆，因倒箸水中而飲之，謂是乾飯。群婢莫不掩口而笑之。

②元皇初見賀司空，言及吴時事，問：「孫皓燒鋸截一賀頭，是誰？」司空未得言，元皇自憶曰：「是賀劭。」司空流涕曰：「臣父遭遇無道，創巨痛深，無以仰答明詔。」元皇愧慚，三日不出。

③蔡司徒渡江，見彭蜞，大喜曰：「蟹有八足，加以二螯。」令烹之。既食，吐下委頓，方知非蟹。後向謝仁祖説此事，謝曰：「卿讀《爾雅》不熟，幾爲《勸學》死。」

④任育長年少時，甚有令名。武帝崩，選百二十挽郎，一時之秀彦，育長亦在其中。王安豐選女婿，從挽郎搜其勝者，且擇取四人，任猶在其中。童少時

神明可愛，時人謂育長影亦好。自過江，便失志。王丞相請先度時賢共至石頭迎之，猶作疇日相待，一見便覺有异。坐席竟，下飲，便問人云：『此爲茶？爲茗？』覺有异色，乃自申明云：『向問飲爲熱爲冷耳。』嘗行從棺邸下度，流涕悲哀。王丞相聞之曰：『此是有情痴。』

⑤謝虎子嘗上屋熏鼠，胡兒既無由知父爲此事，聞人道『痴人有作此者』，戲笑之。時道此非復一過。太傅既了己之不知，因其言次，語胡兒曰：『世人以此謗中郎，亦言我共作此。』胡兒懊熱，一月日閉齋不出。太傅虛托引己之過，以相開悟，可謂德教。

⑥殷仲堪父病虛悸，聞床下蟻動，謂是牛鬥。孝武不知是殷公，問仲堪：『有一殷，病如此不？』仲堪流涕而起曰：『臣進退唯谷。』

⑦虞嘯父爲孝武侍中，帝從容問曰：『卿在門下，初不聞有所獻替。』虞家富春，近海，謂帝望其意氣，對曰：『天時尚暖，鮆魚蝦鮺未可致，尋當有所

上獻。』帝撫掌大笑。

⑧王大喪後，朝論或云『國寶應作荆州』。國寶主簿夜函白事，云：『荆州事已行。』國寶大喜，而夜開閤，喚綱紀話勢，雖不及作荆州，而意色甚恬。曉遣參問，都無此事。即喚主簿數之曰：『卿何以誤人事邪？』

惑溺第三十五

①魏甄后惠而有色，先爲袁熙妻，甚獲寵。曹公之屠鄴也，令疾召甄，左右白：『五官中郎已將去。』公曰：『今年破賊正爲奴。』

②荀奉倩與婦至篤，冬月婦病熱，乃出中庭自取冷，還以身熨之。婦亡，奉倩後少時亦卒。以是獲譏于世。奉倩曰：『婦人德不足稱，當以色爲主。』裴令聞之曰：『此乃是興到之事，非盛德言，冀後人未昧此語。』

③賈公閭後妻郭氏酷妒。有男兒名黎民，生載周，充自外還，乳母抱兒在中庭，兒見充喜踊，充就乳母手中嗚之。郭遥望見，謂充愛乳母，即殺之。兒

悲思啼泣，不飲它乳，遂死。郭後終無子。

④孫秀降晋，晋武帝厚存寵之，妻以姨妹蒯氏，室家甚篤。妻嘗妒，乃罵秀爲『貉子』。秀大不平，遂不復入。蒯氏大自悔責，請救于帝。時大赦，群臣咸見。既出，帝獨留秀，從容謂曰：『天下曠蕩，蒯夫人可得從其例不？』秀免冠而謝，遂爲夫婦如初。

⑤韓壽美姿容，賈充辟以爲掾。充每聚會，賈女于青瑣中看，見壽，説之，恒懷存想，發于吟咏。後婢往壽家，具述如此，并言女光麗。壽聞之心動，遂請婢潛修音問。及期往宿。壽蹻捷絶人，逾墻而入，家中莫知。自是充覺女盛自拂拭，説暢有异于常。後會諸吏，聞壽有奇香之氣，是外國所貢，一箸人，則歷月不歇。充計武帝唯賜己及陳騫，餘家無此香，疑壽與女通，而垣墻重密，門閤急峻，何由得爾？乃托言有盜，令人修墻。使反曰：『其餘無异，唯東北角如有人迹。而墻高，非人所逾。』充乃取女左右婢考問。即以狀對。充秘之，以女妻壽。

⑥王安豐婦，常卿安豐。安豐曰：『婦人卿婿，于禮爲不敬，後勿復爾。』婦曰：『親卿愛卿，是以卿卿；我不卿卿，誰當卿卿？』遂恒聽之。

⑦王丞相有幸妾姓雷，頗預政事納貨。蔡公謂之『雷尚書』。

仇隟第三十六

①孫秀既恨石崇不與緑珠，又憾潘岳昔遇之不以禮。後秀爲中書令，岳省内見之，因唤曰：『孫令，憶疇昔周旋不？』秀曰：『中心藏之，何日忘之？』岳于是始知必不免。後收石崇、歐陽堅石，同日收岳。石先送市，亦不相知。潘後至，石謂潘曰：『安仁，卿亦復爾邪？』潘曰：『可謂「白首同所歸」。』潘金谷集詩云：『投分寄石友，白首同所歸。』乃成其讖。

②劉璵兄弟少時爲王愷所憎，嘗召二人宿，欲默除之。令作阬，阬畢，垂加害矣。石崇素與璵、琨善，聞就愷宿，知當有變，便夜往詣愷，問二劉所在。愷

卒迫不得諱，答云：『在後齋中眠。』石便徑入，自牽出，同車而去。語曰：『少年，何以輕就人宿？』

③王大將軍執司馬愍王，夜遣世將載王于車而殺之，當時不盡知也。雖愍王家，亦未之皆悉，而無忌兄弟皆稚。王胡之與無忌，長甚相昵。胡之嘗共游，無忌入告母，請爲饌。母流涕曰：『王敦昔肆酷汝父，假手世將。吾所以積年不告汝者，王氏門强，汝兄弟尚幼，不欲使此聲著，蓋以避禍耳！』無忌驚號，抽刃而出，胡之去已遠。

④應鎮南作荆州，王脩載、譙王子無忌同至新亭與别，坐上賓甚多，不悟二人俱到。有一客道：『譙王丞致禍，非大將軍意，正是平南所爲耳。』無忌因奪直兵參軍刀，便欲斫，脩載走投水，舸上人接取，得免。

⑤王右軍素輕藍田。藍田晚節論譽轉重，右軍尤不平。藍田于會稽丁艱，停山陰治喪。右軍代爲郡，屢言出吊，連日不果。後詣門自通，主人既哭，不前而去，以陵辱之。于是彼此嫌隟大搆。後藍田臨揚州，右軍尚在郡。初得消息，遣一參軍詣朝廷，求分會稽爲越州。使人受意失旨，大爲時賢所笑。藍田密令從事數其郡諸不法，以先有隟，令自爲其宜。右軍遂稱疾去郡，以憤慨致終。

⑥王東亭與孝伯語，後漸异。孝伯謂東亭曰：『卿便不可復測！』答曰：『王陵廷争，陳平從默，但問克終云何耳。』

⑦王孝伯死，懸其首于大桁。司馬太傅命駕出至標所，孰視首，曰：『卿何故趣，欲殺我邪？』

⑧桓玄將篡，桓脩欲因玄在脩母許襲之。庾夫人云：『汝等近，過我餘年，我養之，不忍見行此事。』

文華叢書

《文華叢書》是廣陵書社歷時多年精心打造的一套綫裝小型開本國學經典。選目均爲中國傳統文化之經典著作，如《唐詩三百首》《宋詞三百首》《古文觀止》《四書章句》《六祖壇經》《山海經》《天工開物》《歷代家訓》《納蘭詞》《紅樓夢詩詞聯賦》等，均爲家喻户曉、百讀不厭的名作。裝幀採用中國傳統的宣紙、綫裝形式，古色古香，樸素典雅，富有民族特色和文化品位。精選底本，精心編校，字體秀麗，版式疏朗，價格適中。經典名著與古典裝幀珠聯璧合，相得益彰，贏得了越來越多讀者的喜愛。現附列書目，以便讀者諸君選購。

文華叢書

書目 一

文華叢書書目

人間詞話（套色）（二册）
三字經·百家姓·千字文·弟子規（外二種）（二册）
三曹詩選（二册）
千家詩（二册）
小窗幽記（二册）
山海經（插圖本）（三册）
元曲三百首（二册）
元曲三百首（插圖本）（二册）
六祖壇經（二册）
天工開物（插圖本）（四册）
王維詩集（二册）
文心雕龍（二册）
文房四譜（二册）
片玉詞（套色、注評、插圖）（二册）
世説新語（二册）
古文觀止（四册）
古詩源（三册）
四書章句（大學、中庸、論語、孟子）（二册）
史記菁華録（三册）
史略·子略（三册）
白雨齋詞話（三册）
白居易詩選（二册）
老子·莊子（三册）
列子（二册）
西厢記（插圖本）（二册）
宋詞三百首（二册）
宋詞三百首（套色、插圖本）（二册）
宋詩舉要（三册）
李白詩選（簡注）（二册）
李商隱詩選（二册）
李清照集附朱淑真詞（二册）
杜甫詩選（簡注）（二册）

文華叢書

書目 二

杜牧詩選（二册）
辛弃疾詞（二册）
呻吟語（四册）
花間集（套色、插圖本）（二册）
孝經・禮記（三册）
近思録（二册）
林泉高致・書法雅言（一册）
東坡志林（二册）
東坡詞（套色、注評）（二册）
長物志（二册）
孟子（附孟子聖迹圖）（二册）
孟浩然詩集（二册）
金剛經・百喻經（二册）
周易・尚書（二册）
茶經・續茶經（三册）
紅樓夢詩詞聯賦（二册）
柳宗元詩文選（二册）
荀子（三册）
秋水軒尺牘（二册）
姜白石詞（一册）
珠玉詞・小山詞（二册）
唐詩三百首（插圖本）（二册）
酒經・酒譜（二册）
孫子兵法・孫臏兵法・三十六計（二册）
格言聯璧（二册）
浮生六記（二册）
秦觀詩詞選（二册）
笑林廣記（二册）
納蘭詞（套色、注評）（二册）
陶庵夢憶（二册）
陶淵明集（二册）
張玉田詞（二册）
雪鴻軒尺牘（二册）
曾國藩家書精選（二册）
飲膳正要（二册）
絶妙好詞箋（三册）
菜根譚・幽夢影（二册）
菜根譚・幽夢影・圍爐夜話（三册）
閑情偶寄（四册）
畫禪室隨筆附骨董十三説（二册）
夢溪筆談（三册）
傳統蒙學叢書（二册）
傳習録（二册）
搜神記（二册）
楚辭（二册）
經史問答（二册）
經典常談（二册）
詩品・詞品（二册）
詩經（插圖本）（二册）
園冶（二册）
裝潢志・賞延素心録（外九種）（二册）
隨園食單（二册）
遺山樂府選（二册）
管子（四册）
蕙風詞話（三册）
墨子（三册）
論語（附聖迹圖）（二册）
樂章集（插圖本）（二册）
學詩百法（二册）
學詞百法（二册）
戰國策（三册）
歷代家訓（簡注）（二册）
顔氏家訓（二册）